¡Avancemos!

2 dos

Pre-AP* Assessment

D0999031

McDougal Littell

A DIVISION OF HOUGHTON MIFFLIN COMPANY

Evanston, Illinois • Boston • Dallas

ISBN-13: 978-0-618-75329-1
ISBN-10: 0-618-75329-X   3 4 5 6 7 8 9 – CKI – 10 09 08 07
Internet: www.mcdougallittell.com

CONTENTS

UNIDAD 5

UNIDAD 6

UNIDAD 7

UNIDAD 8

To the Teacher

The *¡Avancemos!* Assessment Program includes a complete array of differentiation options for assessing students' knowledge of Spanish.

The four assessment options are:

1. **On-level:** These tests are for the average student. Their degree of complexity matches the activities in the pupil edition. These tests match the most commonly-held expectations that teachers have for their students.

2. **Modified:** These tests are for students with some learning difficulties. Activities in the modified tests are more guided and provide more support for students as they produce the target language. Students who take the modified tests are required to produce the same lesson or unit content as students who take on-level tests, but do so under more structured circumstances.

3. **Pre-AP*:** These tests are for high-achieving students. They require that students produce the target language with a minimum of support and guidance. These tests have more open-ended questions that offer students the opportunity to expand and elaborate upon their answers, and to use the target language at a more sophisticated level. In *¡Avancemos!* level 3, new question-types are introduced that follow the format of the Spanish AP language test, further preparing students for success at the Advanced Placement level.

4. **Heritage Learners:** These tests are designed for students who have prior experience hearing and speaking Spanish at home. Students are held responsible for producing the target lesson or unit language, and are also given the opportunity to take advantage of their prior knowledge of Spanish. These tests are entirely in Spanish.

All tests require students to correctly produce the target grammar and vocabulary taught in the program. The difference between levels lies in the scope and complexity of the assigned linguistic tasks and in the degree of support provided for completing each activity.

* Pre-AP is a registered trademark of the College Entrance Examination Board, which was not involved in the production of and does not endorse this product.

QUIZZES

Quizzes may be used as additional practice or as an assessment tool. Each quiz supports a specific section of the pupil edition and is designed to assess recognition and production of the target language at a fairly discrete level. Quizzes are not leveled.

There are five 1-page quizzes for each lesson:

Vocabulary Recognition Quiz: This multiple-choice quiz checks students' ability to recognize the lesson vocabulary. It may be assigned at any time, but is designed to support the *Presentación* and *Práctica de vocabulario* sections of the lesson.

Vocabulary Production Quiz: This quiz asks students to produce the lesson vocabulary. It may be assigned any time after the vocabulary is presented, but is designed to correspond to the *Vocabulario en contexto* section.

Grammar Quizzes: There are two quizzes per lesson, one for each grammar presentation. Quizzes also cover the short grammar points taught in the *Notas gramaticales*.

Culture Quiz: Each culture quiz targets the cultural information covered in the lesson. It includes topics covered in the *Comparación cultural* features, *Lecturas culturales*, and *Proyectos culturales*.

TESTS

The *¡Avancemos!* Assessment program offers lesson-level and unit-level tests. Each test begins with a list of goals linking the test to the corresponding pupil edition lesson, and ends with a checkbox of goals achieved.

Each test has six sections: Listening, Vocabulary and Grammar, Reading, Culture, Speaking, and Writing.

Escuchar This section assesses students' comprehension of the language taught in each lesson or unit in context. Teachers may administer the listening section simultaneously to a mixed classroom of students, since the Modified, On-level, and Pre-AP tests share the same listening passage. Each test varies the difficulty of the questions and the amount of support according to its level. The listening selections for Heritage Learners are unique, and offer a more rapid pace and richer language, suitable for this audience.

Vocabulario y Gramática This portion of the test assesses students' ability to produce the target vocabulary and grammar under fairly controlled circumstances.

Leer This section assesses students' ability to comprehend a short reading passage that incorporates the target lesson or unit material. The first activity focuses on straightforward comprehension. The second activity asks more open-ended or personalized questions related to the reading. Heritage Learners are encouraged to contribute their views based on their cultural background.

Cultura This portion of the test assesses factual knowledge and also tests students' comprehension of the cultural concepts taught in the lesson.

Hablar In levels 1 and 2, this section provides an open-ended speaking task that encourages students to use all the language they have learned in the lesson or unit, in a creative, communicative way. The On-level and Modified tests in level 3 follow the same format.

The Speaking sections of the Pre-AP and Heritage Learners tests in level 3 are specifically designed to prepare students for the Spanish Language Advanced Placement Test. The tests follow the format of two question-types that are new to the Spanish Language AP test. In the first type, students read a short passage and then listen to an audio selection on a related theme. Then students prepare an oral presentation that integrates information from these two sources. In the second type, students take part in a directed conversation, responding to informal audio prompts based on an outline of the conversation.

Escribir In levels 1 and 2, this section provides an open-ended writing task that encourages students to use all the language they have learned in the lesson or unit, in a creative, communicative way. The On-level and Modified tests in level 3 follow the same format. Writing tasks may be formal or informal in nature.

The Writing sections of the Pre-AP and Heritage Learners tests in level 3 are designed to help prepare students for the formal writing portion of the Spanish Language Advanced Placement Test. The *¡Avancemos!* tests offer a slightly modified version of the formal writing task on the Spanish Language AP test, as a building block toward successful completion of the full, AP-level task. On the *¡Avancemos!* tests, students read a passage and listen to an audio selection on a related theme. Then students prepare a formal writing passage that integrates information from these two sources. The Advanced Placement test requires students to read two passages, listen to an audio selection, then complete a formal writing task. The *¡Avancemos!* formal writing task gives students practice in completing a multi-step test section on a more manageable scale.

DIAGNOSIS AND REMEDIATION

Each test includes easy-to-use diagnostic check-boxes in every section of the student answer sheet. When students receive their answer sheets back, they have a built-in indicator of how well they've done, and where to look for further support if it's needed. (With page numbers!) In addition, teachers can assign the corresponding Reteaching and Practice Copymasters to remediate targeted weak areas.

DIFFERENTIATION WITHIN THE *¡AVANCEMOS!* ASSESSMENT PROGRAM

Each differentiated test within the *¡Avancemos!* Assessment Program assesses the target language presented in the student text. Students are expected to produce the same lesson or unit material, but at varying levels of complexity. Students who successfully complete any of the tests can progress to the next lesson with confidence that they have a solid foundation to built upon.

On-level Assessment Teachers will find that these tests and quizzes are appropriate for a majority of their students. Their degree of complexity matches that of the student text. These assessment instruments meet expectations that teachers have for their students who are performing at grade level.

Modified Assessment These tests are a modification of the On-level lesson and unit tests, and are designed for students on Individual Education Plans or for any student experiencing challenges learning Spanish or in a test-taking environment. These tests differ from the On-level Assessment in that the directions provided may be more thorough, activity-types are generally more structured, and more support is provided to correctly complete the exercises. Even with these modifications, students must produce the target lesson or unit language in order to be successful.

Pre-AP Assessment These tests are designed for faster-learning students and expect them to complete the assigned tasks with less-detailed support. The Pre-AP Assessment offers students the opportunity to understand and produce the target language at a more sophisticated level, to expand and elaborate upon their answers, and to perform more open-ended linguistic tasks. At level 3, the speaking and writing sections offer practice with the question types that appear on the Spanish Language Advanced Placement Test.

Heritage Learners Assessment The Heritage Learners Assessment, written entirely in Spanish, is for students who have prior experience hearing and speaking Spanish in their home or community. These tests incorporate high-frequency language and structures that native speakers are likely to know, even though they may not have been formally taught in the program. Also, activities may call for more complete or detailed answers, as well as production of more sophisticated and complex language than non-natives in the same class would be able to produce.

To encourage correct written usage, the writing task in the Heritage Learners Assessment includes a checklist to help students self-correct errors that are common among native speakers.

At level 3, the speaking and writing sections offer practice with the question types that appear on the Spanish Language Advanced Placement Test.

BACK-TO-SCHOOL DIAGNOSTIC

Back-to-School Diagnostic The Back-to-School Diagnostic, found in the On-level Assessment book, is a practical six-page test that will indicate the material that students may need to review before moving forward to learn new material. (There is no diagnostic for Level 1.)

Heritage Learner Diagnostic The Heritage Learner Diagnostic test helps teachers place heritage learners in the most appropriate classroom, whether beginning, intermediate, or advanced Spanish. In addition, it will help teachers determine which students in their class will benefit most from the activities in the *Cuaderno para hispanohablantes* and which students will benefit more from the mainstream workbook activities.

The Heritage Learner Diagnostic is largely reading- and writing-based. The Diagnostic focuses on assessing comprehension and production of the language, and increases in complexity as the students move through the Diagnostic. Part 1 tests students' knowledge of basic vocabulary and grammar, for placement in the appropriate level class (level 1, 2, or 3). Parts 2 and 3 include activities that test reading and writing skills. If you decide to assign the *Cuaderno para hispanohablantes*, students' performance on this section will indicate the appropriate level of difficulty within the *Cuaderno para hispanohablantes*. The leveled practice pages labeled A, B, or C are written at three levels of difficulty, from easiest (A) to most challenging (C).

Students are graded from 1–100, and the diagnostic is based on point ranges:

Scale	Diagnosis	Grade Level Assignment	Workbook Level Assignment
0–10	Level of Spanish is almost equivalent to a monolingual English Speaker	stays in assigned level	*Cuaderno: práctica por niveles* (mainstream workbook)
11–40	Has basic knowledge of Spanish, may learn to read and write more easily than a non-native speaker	stays in assigned level	*Cuaderno para hispanohablantes* level A
41–70	Is able to read and write, but with some difficulty	stays in assigned level	*Cuaderno para hispanohablantes* level B
71–90	Reads and writes Spanish; may make grammatical and other kinds of errors	stays in assigned level	*Cuaderno para hispanohablantes* level C
91–100	High level of mastery; able to handle a more advanced class	moves to next level or to a designated class for Heritage Learners	*Cuaderno para hispanohablantes* (next level)

Uniting Teaching, Learning, and Assessment: Tips for veteran and novice teachers

Assessment is a central component of the teaching-learning process. Assessment helps teachers, students, parents, and administrators measure the progress that is being made toward reaching course objectives and instructional goals. Planning for assessment involves a consideration of national, state, and local guidelines, as well as parental expectations. With the *¡Avancemos!* Differentiated Assessment Program, the teacher has ready-made assessment instruments for students with varying backgrounds, interests, abilities, and learning styles. As part of their assessment plan, teachers must decide which mix of assessment instruments will best suit their students', school's, and district's needs. Teachers must also decide how to assign an appropriate "weight" to the various components of the student's grade.

There are several different ways to handle assessment. Here are some basic tips which can help both veteran and novice teachers design a balanced assessment plan for their classes.

Include Formative and Summative Assessments

Include both formative and summative assessments as components of the student's grade. Formative assessments are the stepping stones that help students build their skills, while summative assessments provide a summation of what has been learned to that point.

In *¡Avancemos!*, the formative assessment is built right into the student text. The *Para y piensa* self-checks are a convenient tool that can be assigned by you, the teacher, or used independently by students. You can assign the corresponding Reteaching and Practice Copymaster as support, or send students to Classzone.com to download the appropriate copymaster.

Quizzes, another common type of formative assessment, can provide helpful feedback to both teacher and students. Giving quizzes cooperatively in pairs or small groups can be particularly effective and fun. The *¡Avancemos!* vocabulary and grammar quizzes lower students' anxiety level, help students think critically about word meaning and linguistic structures, and increase retention of the material. (Also, the teacher has fewer papers to grade!)

Both lesson and unit tests provide teachers with summative assessment tools. Teachers can use the Midterm and Final Exams as culmination tests.

Include Traditional and Alternative Assessments

Provide opportunities for different types of students to excel in their areas of strength by including both traditional assessments (pencil and paper) and alternative assessments such as portfolios, journals, video/class presentations, visual/audio projects, and interviews.

¡Avancemos! provides built-in support in this area. The *Para y piensa* self-checks give students what they need to assess their own understanding every step of the way. The Reteaching and Practice Copymasters tie directly to each self-check, so that students who are struggling have a resource to help them understand and work more on the content that is giving them trouble.

The testing program includes contextualized quizzes and tests designed to assess both discrete and global skills in listening, speaking, reading, writing, and culture at both the lesson and unit level, as well as midyear and final exams. The easy-to-use Test Generator CD-ROM and additional Multiple Choice Test Questions make customizing assessment convenient. Rubrics for grading projects, writing assignments, and oral activities are provided at point-of-use in the pupil and teacher's edition. As always, the classroom teacher may expand and adapt these rubrics for individual needs.

View Assessment as a Process

Remember that assessment is an ongoing process, and that *you*, the classroom teacher, are in charge. Use the *Para y piensa* self-checks to continually monitor the progress that your students are making, and don't be afraid to make adjustments to your assessment plans, as needed, to enhance the teaching-learning process. For example, assessing the progress of native speakers of Spanish in your classes may begin with the Back-to-School Diagnostic tests and continue with the special Heritage Learners Diagnostic test. Once you have established a level of performance for students, assessment may expand to include special research projects, reports, and presentations.

Develop a Sense of Community

Finally, look for ways to make assessment more enjoyable for both you and your students. If you are using the *¡Avancemos!* Vocabulary or Grammar Quizzes, you may find that they can provide a non-threatening culminating activity that synthesizes material for students at the end of the class period. As the sense of collaborative learning is reinforced, the classroom can truly become a community of learners. Develop projects that allow students to collaborate and extend the sense of community within the classroom. When assigning grades for these projects, reward students for creativity and effort, as well as for linguistic accuracy.

Assessing a second language involves the careful balance between formative and summative instruments, between traditional and alternative formats, and the appropriate assessment of all skills. The *¡Avancemos!* Assessment Program provides a wide range of differentiated support materials to allow teachers to choose the most effective tools to manage class time efficiently to reach their course objectives and instructional goals. Designing a balanced assessment plan helps to create a program that *encourages* students to build the skills they need to communicate and interact in the community of Spanish speakers.

Examen Lección preliminar

> **¡AVANZA!** **Goal:** Demonstrate that you have successfully learned to:
>
> - Identify and describe people
> - Talk about likes and dislikes
> - Say where you and your friends go
> - Describe how you and others feel
> - Talk about what you and your friends do

Escuchar

Test CD 1 Tracks 1, 2

A. Luci y Marta están hablando a la salida de la escuela. Completa las siguientes oraciones según el diálogo. (5 puntos)

1. Raúl Ortiz es ____.

2. Raúl Ortiz es de ____.

3. Marta quiere ____.

4. Hay un partido de fútbol ____.

5. Marta tiene ____.

B. Luci y Raúl están almorzando en la cafetería y Luci presenta Raúl a Marta. Escucha su conversación y contesta las preguntas usando oraciones completas. (5 puntos)

1. ¿Cómo está Raúl? ¿Qué come para el almuerzo?

2. ¿Qué come Luci? ¿Por qué?

3. ¿Cómo es Marta?

4. ¿Por qué Luci le presenta Marta a Raúl?

5. ¿Adónde van a ir Luci y Marta mañana? ¿Por qué?

Vocabulario y gramática

C. Después de las clases, Marta y Raúl hablan de las actividades que prefieren. Completa las oraciones siguientes con la(s) palabra(s) apropiada(s). (10 puntos)

Marta: Me gusta **1.** _____ un buen libro. También, **2.** _____ escribir

3. _____ electrónicos a mis amigos. Y a ti, ¿qué te gusta

hacer?

Raúl: Bueno, ya sabes que me gusta mucho **4.** _____ la televisión

y pasar **5.** _____ con mis amigos.

Marta: El domingo hay un **6.** _____ de música en el parque.

¿**7.** _____ ir?

Raúl: Lo **8.** _____, Marta, pero no puedo. Tengo **9.** _____ de

béisbol. Pero el sábado podemes ir al **10.** _____ y ver una

película.

D. Pedro, Vero y Andrea están hablando de la comida que les gusta o que no les gusta. Escribe lo que dice cada uno. (8 points)

1. Pedro: A mí (gustar)  , pero (no gustar)  .

2. Vero: A mí (no gustar) 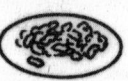 , pero (gustar)  .

3. Andrea: A mí (gustar)  . Especialmente (gustar)  .

4. Pedro: Vero, ¿A tu familia (gustar)  ? Vero: No. A nosotros (gustar)  .

E. Agustín habla con Sergio de lo que va a hacer. Completa las oraciones siguientes con el presente del verbo apropiado del banco de palabras. Tienes que usar unas palabras dos veces. (10 puntos)

querer	servir	poder	ser
estar	almorzar	ir	volver

Este sábado yo **1.** _____ al centro comercial con Marta. Ella **2.** _____ ir de

compras. Luego ella y yo **3.** _____ ir a un restaurante cubano que **4.** _____ buena

comida. ¡Los postres allí **5.** _____ deliciosos! Marta y su familia siempre **6.** _____

allí. El restaurante **7.** _____ en la calle Ocho. Después, nosotros **8.** _____ ver una

película española. Yo no **9.** _____ practicar fútbol porque nosotros

10. _____ tarde.

F. Roberto escribe un correo electrónico a su primo Eduardo. Completa su mensaje con el presente de los verbos **ser, estar** o **tener.** (10 puntos)

Hola, Eduardo. ¿Cómo **1.** _____? Yo **2.** _____ muy bien. **3.** _____ un amigo nuevo

que se llama James. **4.** _____ de Irlanda y **5.** _____ quince años. **6.** _____ alto,

delgado y **7.** _____ los ojos azules. Siempre **8.** _____ contento. Nosotros dos

9. _____ planes para ir al cine este viernes. ¿Qué planes **10.** _____ tú para el

viernes?

G. Sergio le dice a Pedro qué hacen sus amigos. Completa las oraciones con el presente del verbo apropiado del banco de palabras. (6 puntos)

hacer	mirar	leer	escuchar	escribir	jugar

Juanita y Lili **1.** _____ la tele. Luci **2.** _____ el CD nuevo de Shakira. Carlos, Raúl

y Marta **3.** _____ en la piscina. Mamá **4.** _____ un correo electrónico y papá

5. _____ el periódico. Y ¿tú que **6.** _____?

H. Tus nuevos amigos quieren conocerte mejor. Contesta sus preguntas con oraciones completas. (6 puntos)

1. ¿Cómo eres? ¿Qué te gusta hacer?

2. ¿Qué te gusta comer? ¿Qué no te gusta comer?

3. ¿Adónde vas los fines de semana? ¿Qué haces allí?

PRELIMINARY LESSON
Test

Leer

Lee el texto siguiente que Fernando escribió sobre él mismo. Luego completa los ejercicios I y J.

Hola. Me llamo Fernando Ruíz. Mis padres son de Venezuela y vivimos en Boston. Tengo quince años, soy alto y tengo el pelo negro. Mis amigos piensan que soy inteligente e interesante. Mis padres piensan que soy desorganizado y un poco perezoso, pero ¡no es verdad! Bailo mucho en las fiestas y también me gusta salir a caminar. Me gustan el teatro, la música y el arte pero no soy artístico. Soy trabajador y estudio el piano pero no toco bien. La verdad es que no me gusta tocar. Prefiero escuchar.

Me gustan mucho los deportes, especialmente el béisbol y el básquetbol. Los practico con mis amigos en el parque y en el gimnasio. Los fines de semana voy a un partido o paso un rato con Felipe, mi mejor amigo. Nos gustan muchas cosas similares. Felipe es bajo y también es inteligente. Es una persona atlética y muy cómica. Está en mi equipo de béisbol y también está en mi clase de español. ¡Siempre es divertido estar con él!

En el verano, mi familia y yo vamos a Venezuela a visitar a la familia. Allí vamos mucho a la playa. Nos gusta nadar y tomar el sol. También salimos a comer en restaurantes. En Venezuela hay mucho pescado y muchas frutas y verduras muy buenas. ¡Me gusta mucho la comida de allí! Hace mucho calor en Venezuela pero también nos gusta el frío. En las vacaciones de invierno nos gusta ir a Vermont para esquiar. ¿Qué te gusta a ti?

I. Menciona cinco cosas que le gusta hacer Fernando. Usa oraciones completas. (5 puntos)

J. Contesta las preguntas siguientes con oraciones completas. (5 puntos)

1. Describe a Fernando. ¿Cómo es, según sus padres?

2. ¿Le gusta el piano?

3. ¿Qué hacen Felipe y Fernando?

4. ¿Qué hacen Fernando y sus padres en verano? ¿En invierno?

5. ¿Qué le gusta Fernando de Venezuela?

Hablar

K. Habla sobre tus amigos y sobre las actividades que a ti y a tus amigos les gusta hacer. Usa las siguientes ideas para organizar tu respuesta:

- ¿Cómo son tus amigos?
- ¿Qué te gusta hacer con tus amigos después de las clases?
- ¿Adónde van tú y tus amigos los sábados y los domingos?
- ¿Qué les gusta hacer?

(15 puntos)

Escribir

L. Escribe un párrafo sobre tu mejor amigo(a). Di quién es y por qué es tu mejor amigo. Descríbelo y di cómo es. Menciona las cosas que le gustan hacer y las cosas que hacen juntos para pasar un rato. (15 puntos)

¡AVANZA! _____ pts. of 100   Nota _____

¡Éxito! You have successfully accomplished all your goals for this lesson.

Review: Before moving to the next lesson, use your textbook to review:

❑ Identifying and describing people, pp. 2–9
❑ Talking about likes and dislikes, pp. 10–13
❑ Saying where you and your friends go, pp. 14–17
❑ Describing how you and others feel, pp. 18–21
❑ Talking about what you and your friends do, pp. 22–28

Escuchar

A.

1. _____   4. _____

2. _____   5. _____

3. _____

> **You can:**
> ❏ identify and describe people
> ❏ say where you and your friends go
>
> ____ pts. of 5

B.

1. _____

2. _____

3. _____

4. _____

5. _____

> **You can:**
> ❏ identify and describe people
> ❏ talk about likes and dislikes
>
> ____ pts. of 5

Vocabulario y gramática

C.

1. _____   6. _____

2. _____   7. _____

3. _____   8. _____

4. _____   9. _____

5. _____   10. _____

> **You can:**
> ❏ talk about likes and dislikes
> ❏ talk about what you and your friends do
>
> ____ pts. of 10

D.

1. _____   _____

2. _____   _____

3. _____   _____

4. _____   _____

> **You can:**
> ❏ talk about likes and dislikes
>
> ____ pts. of 8

PRELIMINARY LESSON
Test

E.

1. _____   6. _____

2. _____   7. _____

3. _____   8. _____

4. _____   9. _____

5. _____   10. _____

You can:
- ❏ say where you and your friends go
- ❏ describe how you and others feel
- ❏ talk about what you and your friends do

____ pts. of 10

F.

1. _____   6. _____

2. _____   7. _____

3. _____   8. _____

4. _____   9. _____

5. _____   10. _____

You can:
- ❏ identify and describe people
- ❏ talk about likes and dislikes
- ❏ describe how you and others feel

____ pts. of 10

G.

1. _____

2. _____

3. _____

4. _____

5. _____

6. _____

You can:
- ❏ say where you and your friends go
- ❏ talk about what you and your friends do

____ pts. of 6

H.

1. _____

_____

2. _____

_____

3. _____

_____

You can:
- ❏ identify and describe people
- ❏ talk about likes and dislikes
- ❏ say where you and your friends go
- ❏ talk about what you and your friends do

____ pts. of 6

Nombre _____ Clase _____ Fecha _____

Leer

I.

1. _____
2. _____
3. _____
4. _____
5. _____

J.

1. _____
2. _____
3. _____
4. _____
5. _____

Hablar

K.

Speaking Criteria	5 Points	3 Points	1 Point
Content	All of your responses correspond to the topic and you demonstrate good use of appropriate vocabulary and grammar points studied in this lesson.	Some of your responses correspond to the topic and you demonstrate sufficient use of appropriate vocabulary and grammar points.	Few of your responses correspond to the topic and you do not demonstrate appropriate use of vocabulary and grammar points.
Comprehensibility	All the information in your responses can be understood.	Most of the information in your responses can be understood.	Most of the information in your responses is difficult to understand.
Accuracy	Your responses have few mistakes in grammar and vocabulary.	Your responses have some mistakes in grammar and vocabulary.	Your responses have many mistakes in grammar and vocabulary.

PRELIMINARY LESSON
Test

Escribir

L.

_____
_____
_____
_____
_____
_____
_____
_____
_____
_____
_____
_____
_____
_____
_____
_____
_____
_____
_____
_____

You can:

❑ identify and
  describe people

❑ talk about likes and
  dislikes

❑ say where you and
  your friends go

❑ talk about what you
  and your friends do

____ pts. of 15

Writing Criteria	5 Points	3 Points	1 Point
Content	You provide a detailed description of your friend and your relationship.	You provide some details about your friend and your relationship.	You provide very few details about your friend and your relationship.
Communication	All the information in your sentences is organized and can be easily followed.	Most of the information is organized and can be easily followed.	Most of the information in your sentences is disorganized and hard to follow.
Accuracy	Your paragraph has few mistakes in grammar and vocabulary.	Your paragraph has some mistakes in grammar and vocabulary.	Your paragraph has many mistakes in grammar and vocabulary.

Examen Lección 1

> **¡AVANZA!** **Goal:** Demonstrate that you have successfully learned to:
>
> - discuss travel preparations
> - talk about things you do at an airport
> - ask how to get around town
>
> - use the personal **a**
> - use direct object pronouns
> - use indirect object pronouns

Escuchar

Test CD 1 Tracks 3, 4

A. Laura y Lucas hablan de sus planes para las vacaciones. Escucha su conversación y contesta las preguntas usando oraciones completas. (6 puntos)

1. ¿Por qué está nerviosa Laura?

2. ¿A quién va a visitar Laura?

3. ¿Qué profesión tiene la madre de Lucas?

4. ¿Cómo va a ayudar Lucas a Laura?

5. ¿Qué puede hacer la madre de Lucas por Laura?

6. ¿Qué favor le pide Lucas a Laura?

B. Una agente de viajes le explica a Pedro lo que debe hacer en el aeropuerto antes de viajar. Escucha lo que dice y luego responde las preguntas con oraciones completas. (4 puntos)

1. ¿Qué es lo primero que debe hacer Pedro al llegar al aeropuerto?

2. ¿Qué dos cosas debe dar Pedro al auxiliar de vuelo?

3. ¿Cuándo tiene que hacer cola Pedro?

4. Si hay una hora para el vuelo, ¿cuánto tiempo tiene Pedro para llegar a la puerta?

Vocabulario y gramática

C. Escribe lo que hacen estas personas en el aeropuerto según las ilustraciones.
(10 puntos)

1.

2.

4.

5.

3.

D. José y Rosana se preparan para un viaje. Completa su conversación con las
palabras correctas. (10 puntos)

ROSANA: ¡Hola, José! ¿Me ayudas a preparar para mi viaje? Este verano
voy de **1.** _____ a la playa.

JOSÉ: ¿Qué tienes que hacer?

ROSANA: Primero tengo que ir a la **2.** _____ para comprar mi boleto. Voy a
Costa Rica y regreso en una semana.

JOSÉ: Ah, entonces es un boleto de **3.** _____. ¿Necesitas identificación?

ROSANA: Sí. Voy a tener mi **4.** _____.

JOSÉ: ¿Te van a decir cómo es tu viaje?

ROSANA: Sí, me van a dar el **5.** _____. Y dos días antes de viajar, debo
llamar para **6.** _____ el vuelo.

JOSÉ: Y para abordar, necesitas la **7.** _____.

ROSANA: Sí, la voy a recibir del **8.** _____.

JOSÉ: Para la playa debes llevar un **9.** _____ para poder nadar.

ROSANA: ¡Claro! Necesito comprar una **10.** _____ para poner toda mi ropa.

E. Lee las conversaciones y complétalas usando pronombre del objeto directo correcto. (10 puntos)

1. —¡No encuentro mi pasaporte!
    —Aquí está, yo _____ tengo.

2. —¿Y dónde está mi maleta?
    —_____ tiene tu hermana.

3. —¿Vas a comprar el traje de baño para el viaje?
    —Sí, voy a comprar _____.

4. —¿Me das mi tarjeta de embarque?
    —Sí, te _____ doy.

5. —¿Me ayudas con el equipaje, por favor?
    —Sí, _____ ayudo.

F. Luis explica lo que él y su familia hacen en el aeropuerto. Completa sus oraciones con el pronombre de complemento indirecto correcto. (5 puntos)

1. El agente de viaje _____ prepara a nosotros el itinerario de vuelo.

2. Yo _____ doy el equipaje a la auxiliar de vuelo.

3. Mi hermana _____ pregunta la hora a mis padres.

4. Mi madre _____ da a mí el pasaporte y la tarjeta de embarque.

5. La auxiliar de vuelo _____ dice unas palabras a dos pasajeros.

G. Jaime va a hacer un viaje. Le manda un correo electrónico a su amigo Luis en que habla de sus planes. Completa su mensaje usando el **a** personal si necesario. Si no es necesario, escribe una X en el espacio. (5 puntos)

Hola Luis:

Mañana voy **1.** _____ de vacaciones a Costa Rica. Ya tengo **2.** _____ mi

pasaporte, pero también necesito otra identificación. Mamá va a llamar **3.** _____

la agente de viajes para hacer el itinerario. Viajamos a San José porque tengo

4. _____ dos hermanos que viven allí. Les voy a comprar regalos **5.** _____ los dos.

Te voy a escribir una carta desde San José.

Hasta pronto,
Jaime

UNIT 1 LESSON 1
Test

Leer

Gerardo espera un vuelo en el aeropuerto. Lee lo que escribe en su diario. Luego completa las actividades H e I.

¡Ay! ¡Me encanta viajar! Voy a hacer un viaje a Costa Rica a visitar a la familia de mis padres.

Aquí estoy en el aeropuerto. Acabo de facturar mi equipaje para el viaje a San José y ahora tengo mi boleto y la tarjeta de embarque en mi mochila. ¡Estoy muy contento y emocionado!

Tengo unos cuarenta y cinco minutos antes de abordar el avión. Primero voy a pasar por seguridad, y luego hay tiempo para hacer unas compras en las tiendas del aeropuerto. No tengo nada para darle a mi prima Sofía…

Estoy mucho más tranquilo. Ya compré los regalos y estoy en la puerta un poco temprano. Puedo mirar a la gente, escuchar un poco de música y leer una revista antes del vuelo.

H. Lee las siguientes oraciones. Luego, marca con un círculo la C **cierto** o la F **falso** según el párrafo. Si la oración es falsa, corrígela usando una oración completa. (6 puntos)

1. Los padres de Gerardo van a viajar a Costa Rica.

2. Gerardo ya facturó su equipaje.

3. En una hora, Gerardo va a estar en el avión.

4. Gerardo tiene que pasar por seguridad.

5. Gerardo piensa leer un libro durante el vuelo.

6. Gerardo busca una tienda para comprar una revista.

I. Contesta estas preguntas sobre Gerardo y su viaje usando oraciones completas. (4 puntos)

1. ¿Por qué viaja Gerardo a Costa Rica?

2. ¿Qué tiene que hacer Gerardo antes de abordar el avión?

3. ¿A Gerardo le gusta estar en la puerta temprano o tarde? ¿Cómo sabes?

4. Si los pasajeros abordan media hora antes de salir el avión, ¿cuánto tiempo tiene Gerardo hasta la salida del vuelo?

Cultura

J. Completa las siguientes oraciones sobre Costa Rica. (5 puntos)

1. Hoy día, la mayoría de las carretas de Costa Rica son _____.

2. Dos cualidades de la vida costarricense son _____.

3. Un tema frecuente del artista Adrián Gómez es _____.

4. En el Jardín de Cataratas La Paz, puedes caminar entre _____.

5. La morfo azul es _____.

K. Contesta estas preguntas sobre Costa Rica. (5 puntos)

1. ¿A qué se refiere el nombre «tico» para los costarricenses?

2. Anteriormente, ¿para que usaba la gente las carretas?

3. ¿Qué se puede hacer en el resorte de Tabacón en Arenal, Alajuela?

4. En Costa Rica, ¿cómo puede responder una persona a «¿Cómo estás?»?

5. ¿Por qué son importantes las reservas de Costa Rica para la naturaleza?

Hablar

L. Mira los dibujos de la familia Martínez preparándose para un viaje. Contesta las preguntas con oraciones completas. (15 puntos)

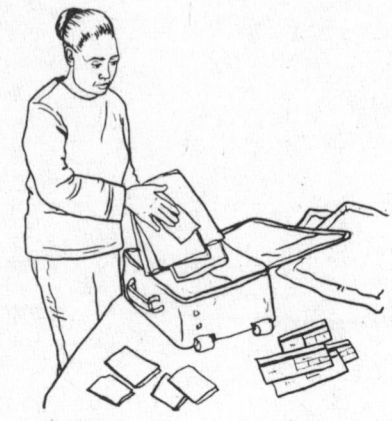

a.

c.

b.

d.

1. Mira el dibujo **a.** ¿Qué hace la señora Martínez? ¿Por qué? ¿Qué hay en la cama?

2. Mira el dibujo **b.** ¿Dónde está la familia? ¿Qué hacen? ¿Qué hace el señor Martínez?

3. Mira el dibujo **c.** ¿Dónde están ahora? ¿Es antes o después del vuelo? ¿Cómo sabes? ¿Qué hace el señor Martínez?

4. Mira el dibujo **d.** ¿Qué pasa ahora? ¿Qué pide el señor Martínez? ¿Qué preguntas tiene?

5. ¿Cómo piensas que la familia Martínez pasó las vacaciones?

Escribir

M. Le vas a escribir un correo electrónico a un(a) amigo(a) para contarle sobre un viaje que vas a hacer.

Incluye en tu mensaje:

- adónde vas
- todas las cosas que tienes que hacer antes del viaje
- todo lo que vas a hacer en el aeropuerto
- todo lo que vas a hacer después de llegar. (15 puntos)

¡AVANZA! _____ pts. of 100   Nota _____

¡Éxito! You have successfully accomplished all your goals for this lesson.

Review: Before moving to the next lesson, use your textbook to review:

❏ discussing travel preparations pp. 36–37
❏ talking about things you do at an airport pp. 36–37
❏ asking how to get around town pp. 36–37
❏ using the personal **a** p. 40
❏ using direct object pronouns p. 41
❏ using indirect object pronouns p. 46

Escuchar

A.

1. _____
2. _____
3. _____
4. _____
5. _____
6. _____

> **You can:**
> ❑ discuss travel preparations
> ____ pts. of 6

B.

1. _____
_____

2. _____
_____

3. _____
_____

4. _____
_____

> **You can:**
> ❑ talk about things you do at an airport
> ____ pts. of 4

Vocabulario y grámatica

C.

1. _____
2. _____
3. _____
4. _____
5. _____

> **You can:**
> ❑ talk about things you do at an airport
> ❑ ask how to get around town
> ____ pts. of 10

D.

1. _____
2. _____
3. _____
4. _____
5. _____
6. _____
7. _____
8. _____
9. _____
10. _____

You can:
- ❑ discuss travel preparations

____ pts. of 10

E.

1. ____
2. ____
3. ____
4. ____
5. ____

You can:
- ❑ use direct object pronouns

____ pts. of 10

F.

1. ____
2. ____
3. ____
4. ____
5. ____

You can:
- ❑ use indirect object pronouns

____ pts. of 5

G.

1. ____

2. ____

3. ____

4. ____

5. ____

You can:
❏ use the personal **a**
____ pts. of 5

Leer

H.

1. C   F

_____

2. C   F

_____

3. C   F

_____

4. C   F

_____

5. C   F

_____

6. C   F

_____

You can:
❏ talk about things you do at an airport
____ pts. of 6

I.

1. _____

_____

2. _____

_____

3. _____

_____

4. _____

_____

You can:
❏ talk about things you do at an airport
____ pts. of 4

Cultura

J.

1. _____

2. _____

3. _____

4. _____

5. _____

> **You can:**
> ❑ make a cultural connection to life in Costa Rica
>
> ____ pts. of 5

K.

1. _____

2. _____

3. _____

4. _____

5. _____

> **You can:**
> ❑ make a cultural connection to Costa Rican customs and culture
>
> ____ pts. of 5

Hablar

L.

> **You can:**
> ❑ talk about travel preparations
> ❑ talk about what you do at an airport
> ❑ ask how to get around town
> ____ pts. of 15

Speaking Criteria	5 Points	3 Points	1 Point
Content	All of your responses correspond to the questions and you demonstrate good use of appropriate vocabulary.	Some of your responses correspond to the questions and you demonstrate sufficient use of appropriate vocabulary.	Few of your responses correspond to the questions and you do not demonstrate appropriate use of vocabulary.
Communication	All the information in your responses can be understood.	Most of the information in your responses can be understood.	Most of the information in your responses is difficult to understand.
Accuracy	Your responses have few mistakes in grammar and vocabulary.	Your responses have some mistakes in grammar and vocabulary.	Your responses have many mistakes in grammar and vocabulary.

Nombre _____ Clase _____ Fecha _____

Escribir

M.

_____

_____

_____

_____

_____

_____

_____

_____

_____

_____

_____

_____

_____

_____

_____

_____

_____

_____

You can:

❏ write about travel preparations

❏ write about what you do at an airport

❏ use direct and indirect object pronouns

____ pts. of 15

Writing Criteria	5 Points	3 Points	1 Point
Content	You provide abundant information about your travel plans.	You provide some information about your travel plans.	You provide very little information about your travel plans.
Communication	All the information in your sentences is organized and can be easily followed.	Most of the information is organized and can be easily followed.	Most of the information in your sentences is disorganized and hard to follow.
Accuracy	Your e-mail message has few mistakes in grammar and vocabulary.	Your e-mail message has some mistakes in grammar and vocabulary.	Your e-mail message has many mistakes in grammar and vocabulary.

Examen Lección 2

¡AVANZA! **Goal:** Demonstrate that you have successfully learned to:

- say where you went and what you did on vacation
- ask information questions
- talk about buying gifts and souvenirs

- use interrogatives
- use the preterite of regular **-ar** verbs
- use the preterite of **ir, ser, hacer, ver** and **dar**

Escuchar

Test CD 1 Tracks 5, 6

A. Mariana y Felipe hablan de lo que hicieron durante las vacaciones. Escucha su conversación y marca C (cierto) o F (falso) según el diálogo. Si la oración es falsa, corrígela. (6 puntos)

1. Mariana y su hermano le compraron aretes a su tía.

2. Mariana les mandó tarjetas postales a todos sus amigos.

3. Los padres de Mariana le dieron dinero para comprar regalos.

4. Felipe quiere darle una tarjeta postal a Mariana.

5. Los dos, Mariana y Felipe, nadaron durante las vacaciones.

6. Mariana nadó en el mar

B. Geraldo le cuenta a su hermana lo que le pasó a él cuando llegó a su hostal. Escucha su historia y luego responde a las preguntas usando oraciones completas. (4 puntos)

1. ¿Qué pasó primero cuando llegó Geraldo al hostal?

2. ¿Por qué pagó Geraldo con dinero en efectivo?

3. ¿Qué dos problemas encontró Geraldo con la habitación?

4. ¿Piensas que Geraldo va a usar la agencia de viajes la próxima vez? ¿Por qué?

Nombre _____ Clase _____ Fecha _____

Vocabulario y gramática

C. Mira los dibujos y contesta las siguientes preguntas sobre lo que hicieron estas personas durante las vacaciones. Usa el pretérito en tus respuestas. (5 puntos)

1.

¿Qué hicieron Elisa y sus amigas?

4.

¿Qué hice yo?

2.

¿Qué hizo Juan José?

5.

¿Qué hizo Héctor?

3.

¿Qué hicimos nosotros?

D. Completa las oraciones con palabras apropiadas de la lección. (5 puntos)

1. —Si no tengo una cámara, no puedo _____.

2. —Si quiero comprar artesanías de Costa Rica, voy a _____.

3. —Si necesitamos alojamiento, tenemos que _____.

4. —Si no tengo dinero en efectivo, tengo que _____.

5. —Si no quieres pagar demasiado dinero por esos aretes, tal vez puedes _____.

E. Completa el diálogo entre un vendedor de joyas y su cliente con palabras interrogativas. (5 puntos)

1. —Por favor, señorita, ¿_____ cuestan los anillos?

2. —¿_____ le gusta?

3. —¿Podría ver el anillo azul? ¿_____ precio tiene?

4. —Ese es muy caro, pero el rojo cuesta $15. ¿Para _____ es el anillo?

5. —Para mi mamá. Quiero el anillo azul. ¿_____ lo pago, con tarjeta de crédito o en efectivo?

F. Un amigo te hace preguntas sobre tus vacaciones. Contesta sus preguntas utilizando palabras correspondientes a la lección. (5 puntos)

1. ¿Con quién fuiste de vacaciones?

2. ¿Dónde pasaron las noches?

3. ¿Qué hicieron con su tiempo libre?

4. ¿Qué atracciones viste allí?

5. ¿Por qué no compraste recuerdos?

G. Escribe lo que estas personas hicieron durante las vacaciones. Usa el pretérito y oraciones completas. (10 puntos)

1. Yo (ir) de vacaciones con mi familia.

2. Y tú, Alicia, ¿qué (hacer)?

3. Yo (visitar) a mis tíos en el campo.

4. ¡(Ser) muy divertido!

5. ¿Ustedes (ir) al campo también?

6. No, nosotros no (viajar).

7. (Nosotros) estudiar todo el verano.

8. Pero Santiago y Javier (acampar).

9. ¡Qué divertido! Yo no (acampar).

10. Mis hermanos y yo (dar) caminatas los fines de semana.

H. Contesta las siguientes preguntas sobre lo que hiciste durante las vacaciones de verano, usando oraciones completas. (10 puntos)

1. ¿Cuándo fuiste de vacaciones? ¿Adónde viajaste?

2. ¿Cómo viajaste? ¿Compraste un boleto?

3. ¿Con quién fuiste? ¿Dónde pasaron las noches?

4. ¿Qué actividades hiciste?

5. ¿Qué recuerdos compraste y para quién? ¿Dónde los compraste y cuánto costaron?

Leer

Lee la carta de una estudiante de intercambio en Costa Rica. Luego completa las actividades I y J.

Hola. Soy Susan Bates y tengo quince años. Vivo en Chicago, pero acabo de llegar a Quepos, Costa Rica . Soy estudiante de intercambio y estoy aquí durante junio y julio. Tengo mucha suerte porque paso el verano en otro país.

Estudio español en mi escuela en Chicago, pero voy a aprender mucho más español aquí en Costa Rica. Vivo con una familia muy amable cerca de Quepos. Hay tres hijas y dos hijos en la familia, y hacemos muchas cosas juntos. Ayer dimos una caminata y fuimos a pescar. La semana pasada montamos a caballo y acampamos. Pienso que Costa Rica es un país muy bello.

Quiero visitar San José, la ciudad capital, pero está muy lejos de aquí. Me dicen que hay museos interesantes, mercados y buenos restaurantes. Pienso comprar regalos para mi familia en Chicago y para todos mis amigos también, pero la verdad es que no tengo mucho dinero. Voy a buscar cosas bellas en los mercados y regatear por buenos precios. A mis amigas, quiero comprarles joyas como aretes o anillos. A mis amigos, quiero comprarles otra artesanía típica del país.

I. Lee las siguientes oraciones y marca C (cierto) o F (falso). Corrige las oraciones falsas. (5 puntos)

1. Susan va a pasar dos meses en Quepos.

2. Hay cuatro hijos en la familia de Susan en Quepos.

3. Susan hizo muchas cosas al aire libre.

4. Susan no tiene dinero para comprar regalos.

5. Susan quiere comprar anillos para sus amigos.

J. Contesta las siguientes preguntas según la carta. Usa oraciones completas. (5 puntos)

1. ¿Por qué está Susan en Quepos?

2. ¿Qué actividades hizo Susan con los hijos de la familia?

3. ¿Según lo que le dicen, qué cosas interesantes hay en San José?

4. ¿Por qué quiere Susan regatear?

5. ¿Qué quiere comprarles a sus amigas?

Cultura

K. Lee las oraciones sobre Costa Rica y Chile. Marca con un círculo la mejor opción para completar la oración. (4 puntos)

1. En el Parque Nacional Volcán Rincón de la Vieja los turistas pueden ____.
   a. dar una caminata cerca de unas cataratas
   b. nadar en un volcán activo
   c. patinar sobre hielo en los lagos
   d. observar llamas

2. El Parque Nacional Torres del Paine está en ____.
   a. Costa Rica
   b. Colombia
   c. Chile
   d. Panamá

3. En Volcán Rincón y en Torres del Paine, uno no puede ____.
   a. ver un volcán
   b. observar animales
   c. visitar un museo
   d. pasar tiempo al aire libre

4. La familia de *Familia en el Volcán Arenal* por Jeannette Carballo ____.
   a. da una caminata hacia el volcán
   b. nada en el lago del parque
   c. es famosa en la historia de Costa Rica
   d. es típica del campo costarricense

L. Contesta las siguientes preguntas sobre Costa Rica y Chile. (6 puntos)

1. ¿Qué actividades se pueden hacer en Costa Rica?

2. ¿Qué actividades se pueden hacer en Chile en el invierno?

3. ¿Cómo es distinto el clima de Costa Rica y de Chile?

Hablar

M. Mira los dibujos y explica lo que hizo la familia Martínez durante las vacaciones de verano. Luego, dile a tu profesor(a) lo que hiciste tú en tus vacaciones anteriores. (15 puntos)

a.

c.

b.

d.

Escribir

N. Le vas a escribir una carta a un(a) amigo(a) en que le cuentas de las vacaciones del verano pasado. Incluye:

- adónde fuiste y con quién
- una descripción del alojamiento dónde las pasaste
- por lo menos tres actividades que hiciste. (15 puntos)

> **¡AVANZA!** _____ pts. of 100   Nota _____
>
> **¡Éxito!** You have successfully accomplished all your goals for this lesson.
>
> **Review:** Before moving to the next lesson, use your textbook to review:
>
> ❏ saying where you went and what you did on vacation pp. 60–61
> ❏ asking information questions p. 64
> ❏ talking about buying gifts and souvenirs pp. 60–61
> ❏ using interrogatives p. 64
> ❏ using the preterite of regular **-ar** verbs p. 65
> ❏ using the preterite of **ir, ser, hacer, ver** and **dar** p. 70

Escuchar

A.

1. C F

_____

2. C F

_____

3. C F

_____

4. C F

_____

5. C F

_____

6. C F

_____

You can:
❑ say where you went and what you did on vacation

____ pts. of 6

B.

1. _____

2. _____

3. _____

4. _____

You can:
❑ say where you went and what you did on vacation

____ pts. of 4

Vocabulario y gramática

C.

1. _____

2. _____

3. _____

4. _____

5. _____

You can:
❑ say where you went and what you did on vacation

____ pts. of 5

D.

1. _____

2. _____

3. _____

4. _____

5. _____

You can:
❑ talk about buying gifts and souvenirs

____ pts. of 5

E.

1. _____

2. _____

3. _____

4. _____

5. _____

You can:
- ❏ ask information questions
- ❏ use interrogatives

____ pts. of 5

F.

1. _____

2. _____

3. _____

4. _____

5. _____

You can:
- ❏ use preterite of regular -ar verbs
- ❏ use preterite of irregular verbs

____ pts. of 5

G.

1. _____

2. _____

3. _____

4. _____

5. _____

6. _____

7. _____

8. _____

9. _____

10. _____

You can:
- ❏ use preterite of regular -ar verbs
- ❏ use preterite of irregular verbs

____ pts. of 10

H.

1. _____
_____

2. _____
_____

3. _____
_____

4. _____
_____

5. _____
_____

> **You can:**
> ❑ say where you went and what you did on vacation
> ❑ use preterite of regular **-ar** verbs
> ❑ use preterite of irregular verbs
>
> ____ pts. of 10

Leer

I.

1. C   F
_____

2. C   F
_____

3. C   F
_____

4. C   F
_____

5. C   F
_____

> **You can:**
> ❑ say where you went and what you did on vacation
>
> ____ pts. of 5

J.

1. _____

2. _____

3. _____

4. _____

5. _____

> **You can:**
> ❑ say where you went and what you did on vacation
>
> ____ pts. of 5

Cultura

K.

1. a b c d   3. a b c d

2. a b c d   4. a b c d

L.

1. _____

   _____

   _____

2. _____

   _____

   _____

3. _____

   _____

   _____

You can:
❑ make a cultural connection to Costa Rica

____ pts. of 4

You can:
❑ make a cultural connection to vacation activities in Costa Rica and Chile

____ pts. of 6

Hablar

M.

You can:
❑ say where you went and what you did on vacation
❑ use preterite of regular **-ar** verbs
❑ use preterite of irregular verbs

____ pts. of 15

Speaking Criteria	5 Points	3 Points	1 Point
Content	All of your responses correspond to the questions and you demonstrate good use of appropriate vocabulary and grammar.	Some of your responses correspond to the questions and you demonstrate sufficient use of appropriate vocabulary and grammar.	Few of your responses correspond to the topic and you do not demonstrate appropriate use of vocabulary and grammar.
Communication	All the information in your responses can be understood.	Most of the information in your responses can be understood.	Most of the information in your responses is difficult to understand.
Accuracy	Your responses have few mistakes in grammar and vocabulary.	Your responses have some mistakes in grammar and vocabulary.	Your responses have many mistakes in grammar and vocabulary.

UNIT 1 LESSON 2 Test

Nombre _____ Clase _____ Fecha _____

Escribir

N.

You can:

❏ write about where
you went and what
you did on vacation

____ pts. of 15

_____

_____

_____

_____

_____

_____

_____

_____

_____

_____

_____

_____

_____

_____

_____

_____

_____

_____

_____

Writing Criteria	5 Points	3 Points	1 Point
Content	You provide abundant information about what you did on vacation.	You provide some information about what you did on vacation.	You provide very little information about what you did on vacation.
Communication	All the information in your letter is organized and can be easily followed.	Most of the information in your letter is organized and can be easily followed.	Most of the information in your letter is disorganized and hard to follow.
Accuracy	Your letter has few mistakes in grammar and vocabulary.	Your letter has some mistakes in grammar and vocabulary.	Your letter has many mistakes in grammar and vocabulary.

Examen Unidad 1

> **¡AVANZA!** **Goal:** Demonstrate that you have successfully learned to:
>
> • discuss travel preparations
> • talk about things you do at an airport
> • ask how to get around town
> • say where you went and what you did on vacation
> • ask information questions
> • talk about buying gifts and souvenirs
> • use interrogatives
> • use the personal **a**
> • use direct object pronouns
> • use indirect object pronouns
> • use the preterite of regular **-ar** verbs
> • use the preterite of **ir, ser, hacer, ver** and **dar**

Escuchar

Test CD 1 Tracks 7, 8

A. Rosana y José están en el aeropuerto facturando su equipaje. Escucha la conversación y completa las oraciones. (5 puntos)

1. El auxiliar de vuelo quiere ver _____ de Rosana y José.

2. Rosana y José tienen boletos de _____ a San José.

3. Ellos van a _____ dos maletas.

4. La _____ es el número 12.

5. Antes de abordar, ellos tienen que _____.

B. Laura y Lucas hablan de sus vacaciones. Escucha su conversación y contesta las siguientes preguntas usando oraciones completas. (5 puntos)

1. ¿Qué dice Lucas de sus vacaciones en Costa Rica?

2. ¿Qué hicieron Lucas y su abuelo?

3. ¿Cuándo tomó Lucas muchas fotos?

4. ¿Por qué los costarricenses también se llaman «ticos», según Lucas?

5. ¿Qué hizo su mamá para ayudarlo en las vacaciones?

Vocabulario y gramática

C. Completa las siguientes oraciones con palabras de vocabulario de esta unidad. (10 puntos)

1. Viajo mañana, toda mi ropa está en la cama y ahora voy a ____.

2. Quiero nadar en el mar. Voy a necesitar mi ____.

3. Necesito ____ en Santiago, pero no sé si prefiero un hotel o un hostal.

4. Todos los ____ tienen que pasar por seguridad antes del vuelo.

5. El ____ sirve bebidas y comida durante el vuelo.

6. Por favor, ¿dónde queda ____? Me gustaría ir al Hotel Benavides y no quiero caminar.

7. En el hotel, una ____ es perfecta para una sola persona.

8. ¿El collar cuesta $200 dólares? ¡Ay, no! es demasiado ____.

9. En el mercado, puedes ____ para pagar menos.

10. Venden muchas ____ bellas en el mercado.

D. Escribe oraciones completas en el pretérito con las palabras que se muestran. Usa el **a** personal si hace falta. (5 puntos)

1. Julio y yo / ver / las / pantallas

2. yo / llamar / el agente de viajes

3. Juan / buscar / la auxiliar de vuelo

4. tú / tomar / un taxi

5. Mamá y papá / hacer / reservaciones

E. Escribe oraciones lógicas con las palabras de cada columna. Incluye los pronombres de complemento indirecto apropiados. (5 puntos)

Rafael	dar	tarjeta postal	yo
Mis padres	decir	anillo	Juana
Tú y yo	hacer	regalos	ustedes
Ellas	escribir	información	tú
Yo	comprar	preguntas	nosotros

F. Para cada respuesta, escribe la pregunta apropiada. (3 puntos)

1. El viaje fue fantástico, gracias.

2. No mucho; $500 de ida y vuelta.

3. Fuimos a San José, a Arenal y muchas playas diferentes.

G. Rosana le escribe un correo electrónico a su mamá. Completa su mensaje con el verbo apropiado del banco de palabras. Usa el pretérito. (12 puntos)

enseñar	hacer (3 veces)	visitar	regatear
ir (2 veces)	ver (2 veces)	comprar	dar

Querida mamá,

José y yo estamos muy contentos aquí en Costa Rica. Quiero decirte todo lo que

nosotros **1.** _____ la semana pasada. **2.** Yo _____ una excursión a Alajuela, una

ciudad muy bonita. Allí **3.** _____ a Rafa y su abuela. ¡Qué sorpresa! Nosotros

4. _____ juntos a un mercado al aire libre. Allí yo **5.** _____ como tú me **6.** _____ a

hacer lo. Rafa lo **7.** _____ también y les **8.** _____ algunas cosas muy bonitas a sus

padres. El jueves por la noche, José y yo **9.** _____ una película buena. El viernes

él y yo **10.** _____ Heredia, una ciudad colonial. Yo **11.** _____ una caminata por la

ciudad y José **12.** _____ de compras. Te veo en dos días.

Rosana

H. Acabas de volver de un viaje a Costa Rica con tu familia. Contesta las preguntas de tu amiga usando oraciones completas. (5 puntos)

1. ¿Cómo fue el viaje?

2. ¿Qué hicieron ustedes en Costa Rica estas dos semanas?

3. ¿Fuiste a la playa Punta Arenas? ¿Qué hiciste allí?

4. ¿Qué le compraste a tu mamá? ¿Y a mí?

5. ¿Acamparon? ¿Dónde pasaron las noches?

Leer

Ana María, una turista de Chile, piensa hacer un viaje a Costa Rica. Va a una agencia de viajes a hablar con una agente. Lee su conversación y completa las actividades I y J.

AGENTE	Si quieres ver mucha naturaleza, debe ir directamente a Alajuela o Heredia después de llegar al aeropuerto. Son lugares tranquilos y bonitos que no quedan muy lejos de la capital.
ANA MARÍA	¿Y el segundo día?
AGENTE	El segundo día, puedes visitar La Fortuna, donde está el volcán Arenal. Hay muchos hoteles cerca del volcán donde puedes pasar la segunda noche.
ANA MARÍA	Para llegar a Monteverde al fin del tercer día, ¿es necesario salir de La Fortuna muy temprano?
AGENTE	Pues, no. Antes de salir para Monteverde, debes montar a caballo a la catarata de La Fortuna. Es muy bella.
ANA MARÍA	¿Pero Monteverde no queda lejos de La Fortuna?
AGENTE	Sí, pero puedes llegar a Monteverde en un día si pasas por el lago Arenal.
ANA MARÍA	¿Y cuánto tiempo necesito para visitar Monteverde?
AGENTE	Puedes visitar Monteverde sábado y domingo. Hay muchas cosas que ver, como los jardines de orquídeas y de mariposas *(butterflies)*. También puedes dar una caminata por el bosque.
ANA MARÍA	¿Y por fin, si quiero nadar y bucear un poco?
AGENTE	La costa Pacífica es muy bonita, y la península de Nicoya tiene unas playas fabulosas. Yo prefiero las playas Hermosa y Panamá.

I. Completa las siguientes oraciones según la conversación entre Ana María y la agente de viajes. (5 puntos)

1. Después de llegar al aeropuerto, Ana María debe _____ .

2. Ana María va a pasar la segunda noche _____ .

3. Al fin del tercer día, sale de _____ para llegar a _____ .

4. Ella va a tomar _____ para ver Monteverde.

5. La agente sugiere las playas Hermosa y Panamá en _____ .

J. Contesta las siguientes preguntas usando oraciones completas. (5 puntos)

1. ¿Por qué debe ir Ana María a Alajuela o a Heredia?

2. ¿Cuáles son dos cosas que Ana María puede ver en La Fortuna?

3. ¿Por dónde tiene que pasar si quiere llegar a Monteverde en un día?

4. ¿Según la agente, ¿qué actividades puede hacer ella en Monteverde?

5. Si Ana María va a la península de Nicoya, ¿qué va a hacer?

Cultura

K. Completa las siguientes oraciones. (6 puntos)

1. Costa Rica tiene costas en el Mar Caribe y en ____ .

2. Las montañas que se llaman ____ pasan por Chile.

3. ____ es otra palabra para decir costarricense.

4. Arenal es ____ .

5. Una artesanía típica de Costa Rica es ____ .

6. Para responder a «¿Cómo estás?», los costarricenses dicen ____ .

L. Contesta las siguientes preguntas sobre Costa Rica. (4 points)

1. ¿Qué identidad de Costa Rica es representada en el arte de Adrián Gómez?

2. ¿Por qué hay muchas especies nativas en Costa Rica?

3. ¿Qué tipo de familia presenta Jeanette Carballo en *Familia en el Volcán Arenal*?

4. ¿Dónde puedes nadar en el Parque Nacional Volcán Rincón de la Vieja?

Hablar

M. Acabas de hacer un viaje. Habla sobre el viaje según los dibujos. Usa oraciones completas. (15 puntos)

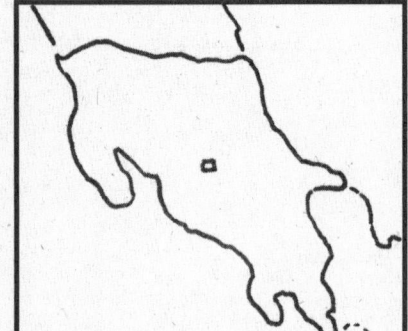

a.

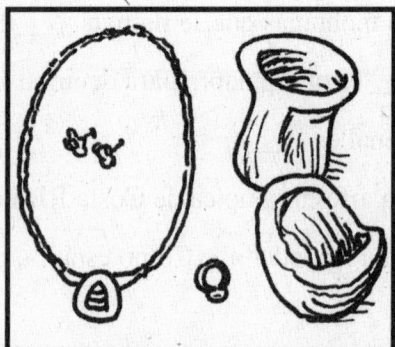

d.

b.

e.

c.

Escribir

N. Escribe una historia sobre una persona que fue de vacaciones y viajó en avión.
Incluye:

- qué hizo la persona para prepararse para el viaje
- qué hizo en el aeropuerto
- qué le pasó después de llegar al destino
- adónde fue y qué hizo durante las vacaciones (15 puntos)

¡AVANZA! _____ pts. of 100   Nota _____

¡Éxito! You have successfully accomplished all your goals for this unit.

Review: Before moving to the next unit, use your textbook to review:

- ❏ discussing travel preparations pp. 36–37
- ❏ talking about things you do at airport pp. 36–37
- ❏ asking how to get around town pp. 36–37
- ❏ saying where you went and what you did on vacation pp. 60–61
- ❏ asking information questions p. 64
- ❏ talking about buying gifts and souvenirs pp. 60–61
- ❏ using interrrogatives p. 64
- ❏ using the preterite of regular **-ar** verbs p. 65
- ❏ using the preterite of **ir, ser, hacer, ver** and **dar** p. 70
- ❏ using the personal **a** p. 40
- ❏ using direct object pronouns p. 41
- ❏ using indirect object pronouns p. 46

¡Avancemos! **Level 2**
Pre-AP Assessment

UNIT 1
Unit Test

Unidad 1
Unit Test   **41**

Escuchar

A.

1. _____ 4. _____

2. _____ 5. _____

3. _____

> **You can:**
> ❏ talk about things you do at an airport
>
> ____ pts. of 5

B.

1. _____

2. _____

3. _____

4. _____

5. _____

> **You can:**
> ❏ say where you went and what you did on vacation
>
> ____ pts. of 5

Vocabulario y gramática

C.

1. _____

2. _____

3. _____

4. _____

5. _____

6. _____

7. _____

8. _____

9. _____

10. _____

> **You can:**
> ❏ discuss travel preparations
> ❏ talk about things you do at an airport
> ❏ ask how to get around town
>
> ____ pts. of 10

D.

1. _____

2. _____

3. _____

4. _____

5. _____

> **You can:**
> ❏ use the personal **a**
> ❏ talk about buying gift and souvenirs
>
> ____ pts. of 5

E.

1. _____

2. _____

3. _____

4. _____

5. _____

You can:

❏ use indirect object pronouns

____ pts. of 5

F.

1. _____

_____

2. _____

_____

3. _____

_____

You can:

❏ use interrogative words

❏ ask information questions

____ pts. of 3

G.

1. _____

2. _____

3. _____

4. _____

5. _____

6. _____

7. _____

8. _____

9. _____

10. _____

11. _____

12. _____

You can:

❏ use the preterite of regular -ar verbs

❏ Use the preterite of ir, ser, hacer, ver, dar

❏ say where you went and what you did on vacation

____ pts. of 12

H.

1. _____

   _____

2. _____

   _____

3. _____

   _____

4. _____

   _____

5. _____

   _____

> **You can:**
> ❏ say where you went and what you did on your vacation
> ❏ use the preterite of regular **-ar** verbs
> ❏ use the preterite of **ir, ser, hacer, ver** and **dar**
>
> ____ pts. of 5

Leer

I.

1. _____

2. _____

3. _____

4. _____

5. _____

> **You can:**
> ❏ discuss travel preparations
>
> ____ pts. of 5

J.

1. _____

   _____

2. _____

   _____

3. _____

   _____

4. _____

   _____

5. _____

   _____

> **You can:**
> ❏ discuss travel preparations
>
> ____ pts. of 5

Cultura

K.

1. _____
2. _____
3. _____
4. _____
5. _____
6. _____

You can:
❑ make a cultural connection to Costa Rica

____ pts. of 6

L.

1. _____
2. _____
3. _____
4. _____

You can:
❑ make a cultural connection to Costa Rica

____ pts. of 4

Hablar

M.

You can:
❑ say where you went and what you did on vacation
❑ talk about buying gifts and souvenirs
❑ use the preterite of regular **-ar** verbs
❑ use the preterite of **ir, ser, hacer, ver,** and **dar**

____ pts. of 15

Speaking Criteria	5 Points	3 Points	1 Point
Content	All of your responses correspond to the questions and you demonstrate good use of appropriate vocabulary and grammar points.	Some of your responses correspond to the questions and you demonstrate sufficient use of appropriate vocabulary and grammar points.	Few of your responses correspond to the questions and you do not demonstrate appropriate use of vocabulary and grammar uses.
Communication	All the information in your responses can be understood.	Most of the information in your responses can be understood.	Most of the information in your responses is difficult to understand.
Accuracy	Your responses have few mistakes in grammar and vocabulary.	Your responses have some mistakes in grammar and vocabulary.	Your responses have many mistakes in grammar and vocabulary.

Escribir

N.

_____

_____

_____

_____

_____

_____

_____

_____

_____

_____

_____

_____

_____

_____

You can:

❏ discuss travel preparations

❏ talk about things you did at an airport

❏ say where you went and what you did on vacation

____ pts. of 15

Writing Criteria	5 Points	3 Points	1 Point
Content	You provide abundant information about a vacation that someone took.	You provide some information about a vacation that someone took.	You provide very little information about a vacation that someone took.
Communication	All the information in your story is organized and can be easily followed.	Most of the information in your story is organized and can be easily followed.	Most of the information in your story is disorganized and hard to follow.
Accuracy	Your story has few mistakes in grammar vocabulary.	Your story has some mistakes in grammar and vocabulary.	Your story has many mistakes in grammar and vocabulary.

Examen Lección 1

¡AVANZA! **Goal:** Demonstrate that you have successfully learned to:

- talk about sporting events and athletes
- discuss ways to stay healthy
- point out specific people and things
- retell events from the past

- use adverbs with **-mente**
- use the preterite of **-er** and **-ir** verbs
- use demonstrative adjectives and pronouns

Escuchar

Test CD 1 Tracks 9, 10

A. Martín y Clara hablan del partido de fútbol entre los Pumas y los Cóndores. Escucha su conversación y luego completa las oraciones. (6 puntos)

1. Los Pumas _____ durante los primeros cinco minutos.

2. Después, Los Cóndores _____.

3. Clara piensa que el jugador Antúnez es _____.

4. Martín piensa que Antúnez _____.

5. El próximo partido del campeonato es _____.

6. Clara piensa que los Pumas _____.

B. Escucha el partido entre Argentina y Brasil y luego contesta las preguntas con oraciones completas. (4 puntos)

1. ¿Cómo son los uniformes de los equipos?

2. ¿Cómo es el jugador Cotufa?

3. ¿Qué equipo metió el segundo gol?

4. ¿Crees que al narrador le gustá más Brasil que Argentina? ¿Por qué?

Vocabulario y gramática

C. Tu amigo(a) quiere ser deportista. Para cada dibujo, escribe una oración con **es importante**, **es bueno** o **es necesario** para decirle a tu amigo qué debe hacer. (4 puntos)

1.

3.

2.

4.

D. Explica en qué situación puedes usar cada expresión. Usa oraciones completas. (4 puntos)

1. ¡Dale!

2. ¡Ay, por favor!

3. ¡Bravo!

4. ¡Estamos empatados!

E. Completa estas oraciones con la forma correcta de los adjetivos o pronombres demonstrativos según las pistas entre paréntesis. (8 puntos)

1. —¿Qué piensas de _____ camisa? (de aquí)

   —Es bonita, pero prefiero _____. (de allí, cerca)

2. Dame _____ uniformes, por favor. (de allí, cerca)

3. —¿Quieres comprar _____ manzanas? (de aquí)

   —No. Prefiero _____. (de allí, lejos)

4. ¡_____ deportistas están en muy buena forma! (de allí, lejos)

5. —¡Qué rápido es _____ jugador en la cancha! (de allí, lejos)

   —¡Mira! _____ es más rápido! (de aquí)

F. Escribe oraciones completas en el pretérito sobre el campeonato de fútbol ayer. Usa las siguientes pistas. (10 puntos)

1. tú / correr

2. nosotros / beber

3. el jugador Vázquez / meter

4. Los Osos / perder

5. yo / salir del estadio

G. Contesta cada una de las siguientes oraciones cambiando los adjetivos de la caja a adverbios. (4 puntos)

frecuente   fácil   lento   tranquilo

1. ¿Cómo duermes cuando duermes sin problemas?

2. ¿Cómo meten goles los buenos jugadores de fútbol?

3. ¿Con qué regularidad tienes que beber agua si haces ejercicio?

4. ¿Cómo corre un jugador que está muy cansado?

H. Contesta las siguientes preguntas usando oraciones completas. (10 puntos)

1. ¿Te gusta practicar deportes? ¿Cuáles son, y con quién practicas?

2. ¿Hay unos equipos profesionales que juegan en tu región? ¿Cómo se llaman, y qué deportes juegan?

3. ¿Hay un atleta a quien admiras mucho? ¿Quién es, y qué deporte practica?

4. ¿Qué hiciste recientemente para mantenerte en forma?

5. Describe tu dieta (comida y bebida) de la semana pasada.

Leer

Lee la historia siguiente sobre esta famosa competencia de ciclismo.

La Vuelta a Francia

La Vuelta a Francia es el campeonato de ciclismo más importante del mundo. Todos los veranos compiten cerca de 180 ciclistas. Durante tres semanas, los deportistas deben viajar un total de 3000 millas en bicicleta.

Este gran campeonato comenzó en 1903 en un café de París, cuando dos amigos, Georges Lefèvre y Henri Desgrange empezaron a hablar de competencias deportivas, especialmente de ciclismo. Desgrange pensó en una buena idea:

—¡Vamos a hacer una vuelta a Francia en bicicleta!

Primero, no le gustó la idea a Lefèvre: Esa competencia sería (*would be*) demasiado larga y difícil. Pero lo pensó seriamente y después respondió:

—Tienes razón. Puede ser divertido. Vamos a hacerlo.

El 19 de enero de 1903, sesenta deportistas compitieron en la primera Vuelta a Francia. Los ciclistas montaron en bicicleta durante tres semanas, de día y de noche. En las partes muy difíciles, se bajaron de las bicicletas, caminaron y luego se subieron otra vez.

El ganador de esa primera Vuelta fue Maurice Garin, un limpiador de chimeneas (*chimney sweep*) de baja estatura ¡pero musculoso y en buena forma! Miles de aficionados salieron a ver su llegada. ¡La Vuelta a Francia fue un gran éxito (*success*)!

I. Completa las siguientes oraciones según la información que leíste. (4 puntos)

1. La Vuelta a Francia ocurre cada _____.

2. _____ normalmente participan en el evento.

3. La competencia fue la idea de _____.

4. Al principio, a Lefèvre _____.

J. Contesta las siguientes preguntas sobre la Vuelta a Francia. Usa oraciones completas. (6 puntos)

1. ¿De qué hablaron los dos amigos franceses en el café?

2. ¿Qué decidieron hacer?

3. ¿Cuándo ocurrió la primera Vuelta a Francia?

4. ¿Cuándo se bajaron los ciclistas de sus bicicletas? ¿Qué hicieron después?

5. ¿Quién ganó? Describe el ganador.

6. ¿Cómo sabes que la primera Vuelta fue un gran éxito?

Cultura

K. Contesta las preguntas. Usa oraciones completas. (6 puntos)

1. ¿Qué países pueden competir en *La Copa Mundial*?

2. ¿Cuál es la capital de Argentina?

3. ¿Qué puedes escuchar en los partidos de fútbol en Argentina y España?

L. Contesta las preguntas siguientes. (4 puntos)

1. ¿Qué representa el cuadro de Berni *Club Atlético Nueva Chicago*? ¿Cómo refleja la vida en Argentina?

2. Describe una región o un lugar en Argentina que es interesante o popular entre turistas, ¿Qué puedes ver o hacer allí?

Hablar

M. Usando los dibujos como guía, describe qué actividades una persona debe hacer para mantenerse en forma. Luego, di qué hiciste este año para estar más saludable. (15 puntos)

a.

c.

b.

d.

Escribir

N. Vas a escribir un artículo sobre una competencia de deportes. Incluye:

- el nombre del deporte
- la fecha y el lugar del evento
- los nombres de los deportistas o de los equipos
- dos o tres cosas que pasaron durante el partido
- el resultado del partido (15 puntos)

¡AVANZA! _____ pts. of 100   Nota _____

¡Éxito! You have successfully accomplished all your goals for this lesson.

Review: Before moving to the next lesson, use your textbook to review:

- ❏ talking about sporting events and athletes pp. 90–91
- ❏ discussing ways to stay healthy pp. 90–91
- ❏ pointing out specific people and things p. 100
- ❏ retelling events from the past p. 95
- ❏ using adverbs with **-mente** p. 94
- ❏ using the preterite of **-er** and **-ir** verbs p. 95
- ❏ using demonstrative adjectives and pronouns p. 100

Escuchar

A.

1. _____
2. _____
3. _____
4. _____
5. _____
6. _____

> **You can:**
> ❑ talk about sporting events and athletes
>
> ____ pts. of 6

B.

1. _____
   _____
2. _____
   _____
3. _____
   _____
4. _____
   _____

> **You can:**
> ❑ talk about sporting events and athletes
> ❑ retell events from the past
>
> ____ pts. of 4

Vocabulario y gramática

C.

1. _____
   _____
2. _____
   _____
3. _____
   _____
4. _____
   _____

> **You can:**
> ❑ discuss ways to stay healthy
> ❑ talk about sporting events
>
> ____ pts. of 4

D.

1. _____
2. _____
3. _____
4. _____

You can:
❏ talk about sporting events

____ pts. of 4

E.

1. _____ _____
2. _____
3. _____ _____
4. _____
5. _____ _____

You can:
❏ point out specific things

____ pts. of 8

F.

1. _____
2. _____
3. _____
4. _____
5. _____

You can:
❏ talk about sporting events and athletes

____ pts. of 10

G.

1. _____
2. _____
3. _____
4. _____

You can:
❏ talk about sporting events and athletes
❏ use adverbs with **-mente**

____ pts. of 4

H.

1. _____

_____

2. _____

_____

3. _____

_____

4. _____

_____

5. _____

_____

You can:
- ❏ talk about sporting events and athletes

____ pts. of 10

Leer

I.

1. _____ 3. _____

2. _____ 4. _____

You can:
- ❏ talk about sporting events and athletes

____ pts. of 4

J.

1. _____

_____

2. _____

_____

3. _____

_____

4. _____

_____

5. _____

_____

6. _____

_____

You can:
- ❏ talk about sporting events and athletes

____ pts. of 6

Cultura

K.

1. _____

_____

2. _____

_____

3. _____

_____

> **You can:**
> ❏ make a cultural connection to Argentina
>
> ____ pts. of 6

L.

1. _____

_____

2. _____

_____

> **You can:**
> ❏ make a cultural connection to Argentina
>
> ____ pts. of 4

Hablar

M.

> **You can:**
> ❏ talk about sporting events and athletes
> ❏ discuss ways to stay healthy
> ❏ retell events from the past
>
> ____ pts. of 15

Speaking Criteria	5 Points	3 Points	1 Point
Content	All of your responses relate to the questions and you show appropriate use of relevant vocabulary.	Some of your responses relate to the questions and you show some use of appropriate vocabulary.	Few of your responses relate to the questions and you do not show adequate use of vocabulary.
Comprehensibility	All the information in your responses can be easily understood.	Most of the information in your responses can be understood.	Most of the information in your responses is difficult to understand.
Accuracy	Your responses show few mistakes in grammar and vocabulary.	Your responses show some mistakes in grammar and vocabulary.	Your responses show many mistakes in grammar and vocabulary.

UNIT 2 LESSON 1
Test

Escribir

N.

_____

_____

_____

_____

_____

_____

_____

_____

_____

_____

_____

_____

_____

_____

_____

_____

| **You can:** |
| ❏ talk about sporting events and athletes |
| ❏ retell events from the past |
| ____ pts. of 15 |

Writing Criteria	5 Points	3 Points	1 Point
Content	You provide abundant information about a sporting event.	You provide some information about a sporting event.	You provide very little information about a sporting event.
Communication	All the information you provide is organized and can be easily followed.	Most of the information you provide is organized and can be easily followed.	Most of the information in your sentences is disorganized and hard to follow.
Accuracy	Your article has few mistakes in grammar and vocabulary.	Your article has some mistakes in grammar and vocabulary.	Your article has many mistakes in grammar and vocabulary.

Examen Lección 2

> **¡AVANZA!** **Goal:** Demonstrate that you have successfully learned to:
>
> - discuss your daily routine
> - clarify the sequence of events
> - say what you and others are doing right now or intend to do
>
> - use **pensar** + infinitive
> - use reflexive verbs
> - use present progressive

Escuchar

Test CD 1 Tracks 11, 12

A. Un periodista entrevista a Raúl, un atleta de la escuela. Escucha las preguntas y las respuestas de Raúl y completa las siguientes oraciones. (5 puntos)

1. Cuando Raúl se está entrenando, se levanta _____.

2. Cuando no se está entrenando, él se levanta _____.

3. Los sábados por la mañana, Raúl _____.

4. Generalmente él se va a dormir _____.

5. Cuando vuelve a casa después de correr, _____.

B. Bernardo está pensando en todas las cosas que debe llevarse en su viaje. Escucha lo que dice y luego contesta las preguntas con oraciones completas. (5 puntos)

1. ¿Va a usar Bernardo su jabón y su champú o los del hotel? ¿Por qué?

2. ¿Cuándo se cepilla los dientes Bernardo?

3. ¿Por qué necesita Bernardo su crema de afeitar?

4. ¿Qué cosa no necesita Bernardo? ¿Por qué?

5. ¿Qué más debe llevarse Bernardo? ¿Por qué?

Vocabulario y gramática

C. Escribe las partes del cuerpo en los dibujos **1, 2** y **3.** (10 puntos)

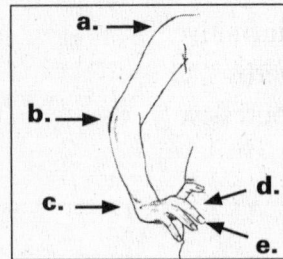  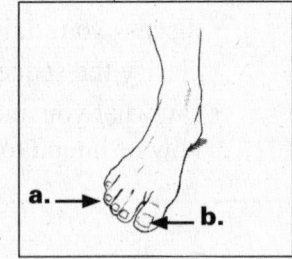

D. Escribe cinco oraciones describiendo la rutina de Mayra, una deportista. Usa las palabras **después, por fin, entonces, primero** y **luego**. (5 puntos)

1. levantarse

2. entrenarse

3. ducharse

4. ponerse la ropa

5. maquillarse

E. ¿Qué hacen estas personas y qué usan para arreglarse? Escribe cinco oraciones diferentes usando las pistas de las columnas. (5 puntos)

A		**B**		**C**	
yo		secarse			
Diego		cepillarse		la cara	
mi hermano y yo	+	lavarse	+	los dientes	**con...**
tú		peinarse		el pelo	
mis padres		afeitarse			

F. Estas personas acaban de hacer unas cosas. Probablemente, ¿qué están haciendo ahora? Escribe oraciones completas. (10 puntos)

1. Paty y Alicia se acaban de acostar.

2. Yo acabo de preparar la comida.

3. Nosotros acabamos de llegar a la pista.

4. Tú acabas de pedir un jugo.

5. Nicolás se acaba de bañar.

G. Contesta las siguientes preguntas sobre tu rutina. (10 puntos)

1. Generalmente, ¿cuál es tu rutina por la mañana? Menciona tres cosas que

   haces y el orden en que las haces.

2. ¿Cuál es tu rutina por la noche? Menciona tres cosas que haces en secuencia.

3. ¿Qué estás haciendo ahora? ¿Qué está haciendo el/la maestro/a?

4. ¿Qué piensas hacer después de las clases hoy?

5. ¿Qué piensas hacer el sábado?

Leer

Lee este artículo sobre la rutina diaria de los jóvenes. Luego completa actividades **H** e **I**.

La rutina de los jóvenes

Damos a conocer hoy los resultados de la encuesta (*survey*) que hicimos a los chicos y chicas de 13 a 17 años de nuestra comunidad sobre su rutina diaria.

El 90% de los jóvenes se levanta entre las seis y las siete de la mañana y se baña, se lava y se seca el pelo y se peina antes de salir para la escuela. Un 89% de chicos se afeita, pero sólo un 67% se afeita frecuentemente. Un 52% de chicas se maquilla todos los días.

Un 80% dice que durante la semana a las diez o diez y media de la noche apagan la luz y se duermen. Pero un 20% no se duerme hasta las once o doce de la noche ya que después de cenar juegan juegos electrónicos, miran televisión, se conectan con Internet, escriben correos electrónicos o hacen sus tareas escolares. Los deportistas generalmente se levantan más temprano para entrenarse o practicar su deporte favorito y también se acuestan más temprano.

Eso ocurre durante la semana. Los fines de semana la situación es diferente: casi un 95% dicen acostarse más tarde los viernes y los sábados y no levantarse los sábados y domingos hasta las once de la mañana. Entonces, ¡es mejor no llamar por teléfono a los chicos los domingos por la mañana!

H. Completa las siguientes oraciones. (5 puntos)

1. El 90% de los jóvenes se levanta _____.

2. Antes de salir para la escuela muchas chicas _____.

3. Durante la semana un 20% se va a dormir _____.

4. Generalmente los atletas se levantan _____.

5. Los sábados y domingos casi todos _____.

I. Contesta estas preguntas sobre el artículo. (5 puntos)

1. ¿A quiénes les hicieron preguntas sobre su rutina diaria?

2. ¿Qué hacen casi todos generalmente antes de salir para la escuela?

3. ¿Qué actividad adicional hacen muchos chicos por la mañana?

4. Menciona tres actividades que hacen los estudiantes que se duermen tarde.

5. ¿Por qué es mejor no llamar por teléfono a los chicos los domingos a las diez de la mañana?

Cultura

J. Completa las siguientes preguntas. (4 puntos)

1. Xul Solar fue _____.

2. *Patria B* es _____.

3. Mafalda y Copetín son _____.

K. Contesta las siguientes preguntas sobre los gauchos argentinos y los cafeteros colombianos. (6 puntos)

1. ¿Dónde viven los gauchos? ¿Y los cafeteros?

2. ¿Cuáles son las actividades diarias de los gauchos? ¿Y de los cafeteros?

3. ¿Qué hay en común entre los gauchos y los cafeteros? ¿Cómo son diferentes?

Hablar

L. Mira las fotos. Para **a** y **b**, describe las rutinas diarias de las personas y
compáralas con tu rutina. Para **c** y **d**, describe los planes de las personas para el
fin de semana y compáralas con tus planes. (15 puntos)

a.

c.

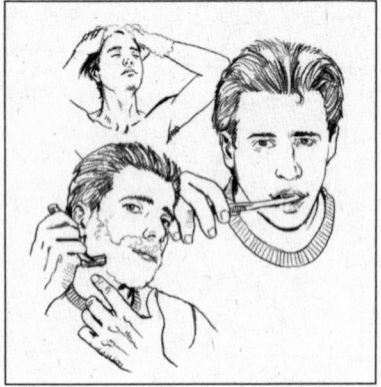

b.

d.

Escribir

M. Vas a escribir una carta a un(a) estudiante de intercambio que viene de
Argentina a vivir con tu familia por un mes. Incluye:

- tu rutina diaria durante la semana.
- lo que normalmente haces los fines de semana.
- dos o tres actividades que piensas hacer con él/ella durante su visita.
- preguntas para saber si a él/ella le gustan tus planes o si tiene otros.
- qué estás haciendo ahora para preparar para su visita.

  (15 puntos)

¡AVANZA!   _____ pts. of 100   Nota _____

¡Éxito! You have successfully accomplished all your goals for this lesson.

Review: Before moving to the next lesson, use your textbook to review:

❏ discussing your daily routine pp. 114–115
❏ clarifying the sequence of events pp. 114–115
❏ saying what you and others are doing right now or intend to do pp. 118, 124
❏ using **pensar** + infinitive p. 118
❏ using reflexive verbs p. 119
❏ using present progressive p. 124

Escuchar

A.

1. _____

2. _____

3. _____

4. _____

5. _____

You can:

❑ discuss daily routines

____ pts. of 5

B.

1. _____
   _____

2. _____
   _____

3. _____
   _____

4. _____
   _____

5. _____

You can:

❑ discuss daily routines

____ pts. of 5

Vocabulario y gramática

C.

1. a. _____

   b. _____

   c. _____

   d. _____

   e. _____

2. a. _____

   b. _____

   c. _____

3. a. _____

   b. _____

You can:

❑ identify parts of the body

____ pts. of 10

D.

1. _____
2. _____
3. _____
4. _____
5. _____

You can:
❏ clarify the sequence of events

____ pts. of 5

E.

1. _____
2. _____
3. _____
4. _____
5. _____

You can:
❏ discuss daily routines

____ pts. of 5

F.

1. _____
2. _____
3. _____
4. _____
5. _____

You can:
❏ say what you and others are doing right now

____ pts. of 10

G.

1. _____
   _____
2. _____
   _____
3. _____
   _____
4. _____
   _____
5. _____
   _____

You can:
❏ discuss your daily routine
❏ say what you are doing right now or intend to do

____ pts. of 10

Leer

H.

1. _____
2. _____
3. _____
4. _____
5. _____

You can:

❑ discuss daily routines

____ pts. of 5

I.

1. _____

   _____

2. _____

   _____

3. _____

   _____

4. _____

   _____

5. _____

   _____

You can:

❑ discuss daily routines

____ pts. of 5

Cultura

J.

1. _____

2. _____

3. _____

4. _____

> **You can:**
> ❑ make a cultural connection to Argentina and Colombia
>
> ____ pts. of 4

K.

1. _____

_____

2. _____

_____

3. _____

_____

> **You can:**
> ❑ make a cultural connection to Argentina and Colombia.
>
> ____ pts. of 6

Hablar

L.

> **You can:**
> ❑ discuss your daily routine
> ❑ use reflexive verbs
> ❑ say what you and others intend to do
> ❑ use **pensar** + infinitive
> ❑ use present progressive
>
> ____ pts. of 15

Speaking Criteria	5 Points	3 Points	1 Point
Content	All of your responses are relevant to the topic and you demonstrate good use of appropriate vocabulary.	Some of your responses are relevant to the topic and you demonstrate sufficient use of appropriate vocabulary.	Few of your responses are relevant to the topic and you do not demonstrate appropriate use of vocabulary.
Communication	All of the information in your sentences can be understood.	Most of the information on your sentences can be understood.	Most of the information in your sentences is difficult to understand.
Accuracy	Your responses have few mistakes in grammar and vocabulary.	Your responses have some mistakes in grammar and vocabulary.	Your responses have many mistakes in grammar and vocabulary.

Nombre _____ Clase _____ Fecha _____

Escribir

M.

_____

_____

_____

_____

_____

_____

_____

_____

_____

_____

_____

_____

_____

_____

_____

_____

You can:
❏ discuss your daily routine
❏ say what you intend to do
____ pts. of 15

Writing Criteria	5 Points	3 Points	1 Point
Content	You provide abundant information about your usual weekend routine and what you intend to do this coming weekend.	You provide some information about your usual weekend routine and what you intend to do this coming weekend.	You provide very little information your usual weekend routine and what you intend to do this coming weekend.
Communication	All the information you provide in your sentences is organized and can be easily followed.	Most of the information you provide is organized and can be easily followed.	Most of the information in your sentences is disorganized and hard to follow.
Accuracy	Your letter has few mistakes in grammar and vocabulary.	Your letter has some mistakes in grammar and vocabulary.	Your letter has many mistakes in grammar and vocabulary.

Examen Unidad 2

¡AVANZA! **Goal:** Demonstrate that you have successfully learned to:

- talk about sporting events and athletes
- discuss ways to stay healthy
- point out specific people and things
- retell events from the past
- discuss your daily routine
- clarify the sequence of events
- say what you and others are doing right now or intend to do

- use the preterite of **-er** and **-ir** verbs
- use demonstrative adjectives and pronouns
- use adverbs with **-mente**
- use **pensar** + infinitive
- use reflexive verbs
- use present progressive

Escuchar

Test CD 1 Tracks 13, 14

A. Martín y Clara están mirando el campeonato entre Los Pumas y Los Cóndores. Escucha su conversación y completa las siguientes oraciones. (5 puntos)

1. Clara piensa que Los Pumas van a ____.

2. Martín dice que Los Cóndores nunca ____.

3. Según Martín Los Pumas están en el campeonato porque ____.

4. Alonso no metió el gol porque Ávila es ____.

5. ____ metieron un gol.

B. Diego, un maestro de educación física, habla con unos jóvenes sobre cómo mantenerse sanos. Escucha lo que dice y contesta las preguntas usando oraciones completas. (5 puntos)

1. Según Diego, ¿qué es una cosa que deben hacer los jóvenes para mantenerse en forma?

2. ¿A qué hora se levanta Diego todas las mañanas?

3. Normalmente, ¿cuántas millas corre Diego por la mañana?

4. ¿Qué come Diego para el desayuno?

5. ¿Qué piensa Diego de su rutina diaria?

Vocabulario y gramática

C. ¡Qué partido! A cada jugador le duele una parte del cuerpo. Identifica en oraciones completas qué partes del cuerpo les duelen. (5 puntos)

1. (Teo Rodríguez)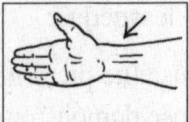

4. (Luis Díaz)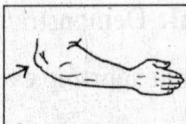

2. (Diego Alonso)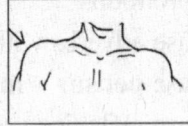

5. (Ramón Torres)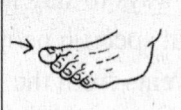

3. (Pedro Muñoz)

D. Escribe una definición para las palabras siguientes con oraciones completas. (5 puntos)

1. un deportista   **3.** la Vuelta a Francia   **5.** ejercicio

2. una pista   **4.** una dieta balanceada

E. Un equipo de fútbol va a jugar en un gran campeonato la semana que viene. Completa las oraciones siguientes con la forma adverbial de los adjetivos en el banco de palabras. (4 puntos)

| alegre | fácil | rápido | tranquilo |

1. Para meter goles, los jugadores tienen que correr _____ .

2. Son muy buenos jugadores. Por eso, piensan ganar el campeonato _____ .

3. Después de ganar este partido, van a celebrar _____ .

4. Al día siguiente, pueden descansar _____ .

Nombre _____ Clase _____ Fecha _____

F. Contesta las preguntas usando pronombres y adjetivos demostrativos. (6 puntos)

1. ¿Quién es la mejor jugadora de Argentina? (allí, lejos)

2. ¿Te gustan los uniformes que están aquí o los de allí? (allí, cerca)

3. ¿Prefieres el jugo de aquí o el jugo que está allá? (allí, lejos)

4. ¿Cuál de los equipos va a ganar el campeonato? (aquí)

5. Mira el menú: ¿Qué comidas son las más saludables? (aquí)

6. ¿Cuáles de los deportistas conoces? (allí, cerca)

G. Hiciste cinco predicciones para el partido anoche, ¡y todos se hicieron verdad! Lee las predicciones y cámbialas a oraciones en el pretérito para decir lo que pasó durante el partido. (10 puntos)

1. Yo voy a meter un gol.

2. Jorge va a beber nuestra agua.

3. Alicia y María van a salir temprano del partido.

4. Ustedes van a vender todas las entradas.

5. Tú vas a compartir una hamburguesa con tu hermana.

H. Escribe lo que está haciendo el equipo de fútbol en este momento usando el verbo apropiado del banco de palabras. Usa el presente progresivo. (10 puntos)

| entrenarse | jugar | ponerse | ducharse | beber |

1. El equipo y yo estamos en la cancha.

2. Patricia está en el baño.

3. Jorge tiene sed.

4. Manuel y Paco están en el gimnasio.

5. Tú tienes el nuevo uniforme.

Leer

Lee el siguiente artículo sobre un campeonato de fútbol para jóvenes. Luego, haz los ejercicios I y J.

El futbol es el deporte que más les gusta a los jóvenes de Chile. Entienden que es muy importante ser activos y aprender a colaborar en equipo. El pasado mes de mayo, en Santiago, empezó la Copa Chile Escolar, el campeonato escolar (*scholastic*) de fútbol más importante del país. Continuó por dos semanas, con más de doscientos partidos de fútbol. Lo organizó la Secretaría Nacional del Deporte, Educación Física y Recreación para darles a los jóvenes una oportunidad de competir y para empezar la formación de los deportistas del futuro.

En este campeonato los jóvenes compitieron y conocieron a otros chicos y chicas de su edad (*age*). También recibieron la ayuda y el apoyo (*support*) de los padres y los profesores. Seleccionaron los equipos fácilmente. Este año compitieron casi cuatro mil jóvenes de trece a quince años, los mejores jugadores de más de doscientos setenta colegios de las principales ciudades. Todos se entrenaron mucho antes de la competencia.

La gran atracción de la Copa Chile Escolar fue el premio que recibió el equipo ganador: el placer (*pleasure*) y la responsabilidad de representar a su país en la Copa Mundial Escolar en Alemania, dos meses después.

I. Completa las siguientes oraciones según lo que leíste. (5 puntos)

1. Según el artículo, a los jóvenes les gusta el fútbol porque _____.

2. _____ empezó en mayo.

3. La selección de equipos _____.

4. El premio de este campeonato fue _____.

5. La Copa Mundial Escolar empieza en el mes de _____.

J. Contesta las siguientes preguntas usando oraciones completas. (5 puntos)

1. ¿Qué es la Copa Chile Escolar y en qué ciudad compiten los participantes?

2. ¿Quién organizo el campeonato?

3. ¿Por qué piensas que fue fácil seleccionar a los equipos?

4. ¿Cuántas escuelas participaron?

5. ¿Cuál fue el objetivo del campeonato?

Cultura

K. Completa las siguientes oraciones. (4 puntos)

1. La Boca es un _____ de Argentina.

2. Los argentinos usan la forma _____ en vez de la forma **tú**.

3. Una región de Argentina popular para los turistas es _____.

4. En los partidos de fútbol de Argentina se escuchan _____.

L. Contesta las siguientes preguntas. (6 puntos)

1. ¿Quiénes son los gauchos y qué hacen?

2. ¿Qué tipo de artista es Xul Solar?

3. ¿Quiénes son Mafalda y Copetín?

Hablar

M. Habla con tu profesor de español sobre tu rutina diaria. (15 puntos)

1. Describe tu rutina de la mañana durante la semana y los sábados y domingos.

2. Menciona cinco cosas que usas para arreglarte (y para qué las usas).

3. Describe qué piensas hacer esta noche y este sábado por la noche.

Escribir

N. Escribe un párrafo en que hablas sobre lo que haces para mantenerte sano(a).
Incluye:

- por qué es bueno o importante hacer ejercicio o practicar un deporte
- qué tipo de ejercicio haces tú o qué deporte practicas y con que frecuencia
- qué tipo de comida comes; qué comiste/bebiste hoy
- qué cosas hiciste este més para mantenerte saludable
- qué piensas hacer en el futuro para tu salud (15 puntos)

¡AVANZA! _____ pts. of 100   Nota _____

¡Éxito! You have successfully accomplished all your goals for this unit.

Review: Before moving to the next unit, use your textbook to review:

- ❑ talking about sporting events and athletes pp. 90–91
- ❑ discussing ways to stay healthy pp. 90–91
- ❑ pointing out specific people and things p. 100
- ❑ retelling events from the past p. 95
- ❑ discussing your daily routine pp. 114–115
- ❑ clarifying the sequence of events pp. 114–115
- ❑ saying what you and others are doing right now or intend to do pp. 118, 124
- ❑ using the preterite of **-er** and **-ir** verbs p. 95
- ❑ using demonstrative adjectives and pronouns p. 100
- ❑ using adverbs with **-mente** p. 94
- ❑ using **pensar** + infinitive p. 118
- ❑ using reflexive verbs p. 119
- ❑ using present progressive p. 124

Escuchar

A.

1. _____

2. _____

3. _____

4. _____

5. _____

> **You can:**
> ❑ talk about sporting events and athletes
>
> ____ pts. of 5

B.

1. _____

2. _____
_____

3. _____

4. _____

5. _____

> **You can:**
> ❑ discuss ways to stay healthy
> ❑ clarify the sequence of events
>
> ____ pts. of 5

Vocabulario y gramática

C.

1. _____

2. _____

3. _____

4. _____

5. _____

> **You can:**
> ❑ identify parts of the body
>
> ____ pts. of 5

D.

1. _____

2. _____

3. _____

4. _____

5. _____

> **You can:**
> ❑ discuss ways to stay healthy
> ❑ talk about sporting events and athletes
>
> ____ pts. of 5

E.

1. _____

2. _____

3. _____

4. _____

You can:
- ❏ use adverbs with **-mente**

_____ pts. of 4

F.

1. _____

2. _____

3. _____

4. _____

5. _____

6. _____

You can:
- ❏ use demonstrative adjectives and pronouns

_____ pts. of 6

G.

1. _____

2. _____

3. _____

4. _____

5. _____

You can:
- ❏ retell events from the past
- ❏ use the preterite of **-er** and **-ir** verbs

_____ pts. of 10

H.

1. _____

_____

2. _____

_____

3. _____

_____

4. _____

_____

5. _____

_____

You can:
- ❏ say what you and others are doing right now

_____ pts. of 10

Leer

I.

1. _____

2. _____

3. _____

4. _____

5. _____

<table>
<tr><td>

You can:

❏ talk about sporting events and athletes

____ pts. of 5
</td></tr>
</table>

J.

1. _____

_____

2. _____

_____

3. _____

_____

4. _____

_____

5. _____

_____

<table>
<tr><td>

You can:

❏ talk about sporting events and athletes

____ pts. of 5
</td></tr>
</table>

Cultura

K.

1. _____

2. _____

3. _____

4. _____

You can:
❏ make a cultural connection to Argentina
____ pts. of 4

L.

1. _____

   _____

2. _____

   _____

3. _____

   _____

You can:
❏ make a cultural connection to Argentina
____ pts. of 6

Hablar

M.

You can:
❏ discuss your daily routine
❏ talk about personal care items ____ pts. of 15

Speaking Criteria	5 Points	3 Points	1 Point
Content	All of your responses correspond to the questions and you provide and demonstrate good use of appropriate vocabulary and grammar studied in this lesson.	Some of your responses correspond to the questions and you demonstrate sufficient use of appropriate vocabulary and grammar.	Few of your responses correspond to the topic and you do not demonstrate appropriate use of vocabulary and grammar.
Communication	All the information in your responses can be understood.	Most of the information in your responses can be understood.	Most of the information in your responses is difficult to understand.
Accuracy	Your responses have few mistakes in grammar and vocabulary.	Your responses have some mistakes in grammar and vocabulary.	Your responses have many mistakes in grammar and vocabulary.

Escribir

N.

_____

_____

_____

_____

_____

_____

_____

_____

_____

_____

_____

_____

_____

_____

_____

_____

_____

_____

You can:
❏ write about exercise and sports
❏ write about ways to stay healthy
____ pts. of 15

Writing Criteria	5 Points	3 Points	1 Point
Content	You provide abundant information about what you do to keep yourself healthy.	You provide some information about what you do to keep yourself healthy.	You provide very little information about what you do to keep yourself healthy.
Communication	All the information in your sentences is organized and can be easily followed.	Most of the information is organized and can be easily followed.	Most of the information in your sentences is disorganized and hard to follow.
Accuracy	Your paragraph has few mistakes in grammar and vocabulary.	Your paragraph has some mistakes in grammar and vocabulary.	Your paragraph has many mistakes in grammar and vocabulary.

Examen Lección 1

> **¡AVANZA!** **Goal:** Demonstrate that you have successfully learned to:
>
> - talk about clothing, shopping, and personal needs
> - say for whom things are
> - express opinions
> - use verbs like **gustar**
> - use present tense of irregular **yo** verbs
> - use pronouns after prepositions

Escuchar

Test CD 1 Tracks 15, 16

A. Pedro quiere ir de compras con una amiga. Escucha su conversación y contesta las siguientes preguntas usando oraciones completas. (5 puntos)

1. ¿Adónde quiere ir Pedro?

2. ¿Qué tipo de ropa quiere comprar Pedro?

3. ¿Por qué Pedro quiere comprar ese tipo de ropa?

4. ¿Qué es «La nueva moda»?

5. ¿Qué artículos de ropa piensa comprar Pedro?

B. Pedro y Tere van de compras. Escucha su conversación y completa las oraciones según lo que dicen. (5 puntos)

1. A Tere le encanta la camisa de rayas, pero le _____ a Pedro.

2. Si compra la camisa, Pedro necesita _____.

3. Los pantalones azules _____ a Pedro.

4. Tere piensa que no es buena idea comprar _____.

5. Pedro va a comprar _____.

Nombre _____ Clase _____ Fecha _____

Vocabulario y gramática

C. Tere habla de sus compras. Completa el párrafo con las palabras apropiadas. (6 puntos)

Hoy es sábado, no tengo tarea, pero tengo muchas cosas que hacer. Primero voy

a pasar por la **1.** _____ para comprar aspirinas y champú. Luego quiero ir a la

2. _____ porque necesito comprar un libro para mi clase de inglés. También,

debo comprar pan para el almuerzo en la **3.** _____ «Las delicias». Después del

almuerzo, voy a ir al **4.** _____ «La nueva moda» para comprar un abrigo. Los

sábados está **5.** _____ hasta las cinco de la tarde. No puedo ir por la noche

porque está **6.** _____.

D. Pedro y Tere van de compras. Escribe lo que compran y dónde. (8 puntos)

1. Compran _____ en _____.

5. Compran _____ en _____.

2. Compran _____ en _____.

6. Compran _____ en _____.

3. Compran _____ en _____.

7. Compran _____ en _____.

4. Compran _____ en _____.

8. Compran _____ en _____.

E. Pedro visita a su Tía Luci y le habla de su cita con Ana. Completa su conversación con las formas correctas de los verbos apropiados del banco de palabras. (14 puntos)

venir	hacer	poner	conocer	tener
decir	salir	traer	saber	dar

LUCI: Pedro, ¿qué **1.** _____ cuando **2.** _____ con Ana?

PEDRO: Cuando yo **3.** _____ con Ana, me **4.** _____ ropa que está de

moda y siempre le **5.** _____ flores.

LUCI: ¡Qué romántico eres, sobrino!

PEDRO: Por cierto, este sábado vamos a salir. Tía, ¿**6.** _____ un

buen restaurante español?

LUCI: Sí, **7.** _____ «La madrileña». Yo **8.** _____ que es un

restaurante excelente porque comí allí.

PEDRO: Me parece muy buena idea.

LUCI: Pedro, ¿**9.** _____ dinero?

PEDRO: Solamente **10.** _____ $30. ¿Esta bíen?

LUCI: No, necesitas más dinero. Yo te **11.** _____ $30 más.

PEDRO: Oh, gracias, tía. La semana que **12.** _____ yo **13.** _____ por

aquí y te **14.** _____ cómo me fue.

F. Sylvia habla con su hermana sobre la ropa que compró. Completa sus oraciones con la **para** o **con** y el pronombre apropiado. (6 puntos)

1. Tere quiere la falda. Es_____.

2. Vinicio quiere el traje. Es _____.

3. Yo quiero las sandalias. Son _____.

4. ¿Te encanta el reloj? ¡Qué bueno! Es _____.

5. Papá y mamá necesitan abrigos. Éstos son _____.

6. La promoción es muy buena. ¿Quieres ir _____ mañana?

G. Contesta las siguientes preguntas con **creo que sí** o **creo que no** y da dos razones (*reasons*) para explicar tu opinión. (6 puntos)

1. ¿Es buena idea que otra persona va de compras contigo? ¿Por qué?

2. ¿Es buena idea comprar ropa por Internet? ¿Por qué?

3. ¿Es mala idea gastar mucho dinero en ropa de moda? ¿Por qué?

Leer

Lee lo que dice Mariana Ramírez y completa las actividades H e I.

Hola. Me llamo Mariana Ramírez. Soy una estudiante de 15 años y vivo con mis papás y mi hermano mayor en Nueva York. Yo soy estadounidense. Mi mamá es de Puerto Rico y mi papá es de la República Dominicana. Me gusta mucho Nueva York, pero también me encanta ir a visitar a la familia en el Caribe. Vamos allí por lo menos tres veces al año.

Me interesa mucho la moda, pero pienso que es difícil estar siempre a la moda por tres razones. Primero, los estilos siempre están cambiando aquí en Nueva York. Segundo, la moda de Nueva York es muy diferente de la moda puertorriqueña y dominicana. Por fin, tengo cosas que necesito para el invierno aquí en Nueva York que no puedo llevar cuando voy de viaje en el Caribe.

Generalmente, a la gente de mi edad en Nueva York les gusta llevar ropa que les queda bastante floja, especialmente los jeans y las camisetas. A mí me gusta la ropa que está de moda. Aquí hay muchos almacenes y tiendas de ropa donde puedo encontrar las cosas que están de moda.

Pero creo que en Puerto Rico y la República Dominicana, a los jóvenes les gusta llevar la ropa un poco más apretada. Entonces, no siempre es fácil para mí encontrar los estilos y las tallas correctas cuando estoy en Nueva York y cuando estoy en el Caribe.

Otra dificultad es que tengo que comprar ropa para todas las estaciones del año - abrigos, gorras, suéteres y botas para los inviernos de Nueva York, y faldas, sandalias y ropa más ligera para el calor del Caribe. ¡Ay! ¿Pero sabes lo más difícil? ¡Ganar *(to earn)* suficiente dinero para comprar todo lo que quiero!

H. Lee las siguientes oraciones. Marca C (cierto) o F (falso) según el párrafo. Corrige las oraciones falsas. (5 puntos)

1. A Mariana y a sus padres les importa visitar a su familia en el Caribe.

2. Para Mariana, siempre es fácil vestirse a la moda.

3. Toda la ropa que lleva Mariana en Nueva York, la lleva también en el Caribe.

4. Según Mariana, la ropa apretada está de moda en Nueva York y en la República Dominicana.

5. Mariana dice que es fácil ganar dinero para comprar todo lo que quiere.

I. Contesta las siguientes preguntas usando oraciones completas. (5 puntos)

1. ¿De dónde son los padres de Mariana?

2. Para Mariana, ¿por qué es difícil estar a la moda?

3. Según Mariana, ¿qué diferencia hay entre lo que les gusta llevar a los jóvenes en Nueva York y lo que les gusta llevar en el Caribe?

4. ¿Qué artículos de ropa no lleva Mariana en el Caribe? ¿Por qué?

5. Compara los problemas que tú tienes cuando compras ropa con los problemas de Mariana.

Cultura

J. Contesta estas preguntas sobre la isla de Puerto Rico. (4 puntos)

1. ¿Cuál es la capital de la isla?

2. ¿Cuáles son los dos idiomas oficiales?

3. ¿Quién es José Campeche?

4. ¿En qué mar está Puerto Rico?

K. Contesta estas preguntas sobre la cultura puertorriqueña. Usa oraciones completas. (6 puntos)

1. ¿Quiénes empezaron a construir el Morro en 1539? ¿Por qué?

2. ¿Qué es un timbalero? ¿Dónde puedes verlo?

3. ¿Qué es un boricua? ¿De dónde viene la palabra?

Hablar

L. Habla con tu profesor sobre las compras que haces y sobre las tiendas que te gustan. Explícale:

- adónde te gusta ir de compras y por qué
- con quién vas y cómo te ayuda(n) esa(s) personas
- qué ropa o cosas te gusta comprar y por qué (15 puntos)

Escribir

M. Escribe un párrafo sobre la ropa que te gusta llevar a la escuela. Incluye:
- la ropa que te gusta llevar a la escuela durante cada una de las cuatro estaciones del año
- la ropa que te gusta llevar a una fiesta o otro evento especial. (15 puntos)

¡AVANZA! _____ pts. of 100   Nota _____

¡Éxito! You have successfully accomplished all your goals for this lesson.

Review: Before moving to the next lesson, use your textbook to review:

- ❑ talking about clothing, shopping and personal needs pp. 144–145
- ❑ saying for whom things are p. 159
- ❑ expressing opinions p. 148
- ❑ using verbs like **gustar** p. 148
- ❑ using present tense of irregular **yo** verbs p. 149
- ❑ using pronouns after prepositions p. 154

Escuchar

A.

1. _____

_____

2. _____

_____

3. _____

_____

4. _____

_____

5. _____

_____

> **You can:**
> ❏ talk about clothing, shopping and personal needs
>
> ____ pts. of 5

B.

1. _____
2. _____
3. _____
4. _____
5. _____

> **You can:**
> ❏ talk about clothing, shopping and personal needs
> ❏ express opinions
>
> ____ pts. of 5

Vocabulario y gramática

C.

1. _____
2. _____
3. _____
4. _____
5. _____
6. _____

> **You can:**
> ❏ talk about clothing and shopping
>
> ____ pts. of 6

D.

1. _____   _____
2. _____   _____
3. _____   _____
4. _____   _____
5. _____   _____
6. _____   _____
7. _____   _____
8. _____   _____

> **You can:**
> ❏ talk about clothing and shopping
> ____ pts. of 8

E.

1. _____   9. _____
2. _____   10. _____
3. _____   11. _____
4. _____   12. _____
5. _____   13. _____
6. _____   14. _____
7. _____
8. _____

> **You can:**
> ❏ use present tense of irregular **yo** verbs
> ____ pts. of 14

F.

1. _____   4. _____
2. _____   5. _____
3. _____   6. _____

> **You can:**
> ❏ use pronouns after prepositionss
> ____ pts. of 6

G.

1. _____
   _____
2. _____
   _____
3. _____
   _____

> **You can:**
> ❏ talk about clothing
> ❏ use verbs like **gustar**
> ❏ use the present tense of irregular **yo** verbs
> ____ pts. of 6

Leer

H.

1. C F

_____

2. C F

_____

3. C F

_____

4. C F

_____

5. C F

_____

You can:

❑ talk about clothes and fashion design

____ pts. of 5

I.

1. _____

_____

2. _____

_____

3. _____

_____

4. _____

_____

5. _____

You can:

❑ answer questions about clothes and fashion design

____ pts. of 5

Cultura

J.

1. _____

2. _____

3. _____

4. _____

You can:

❑ identify basic facts about Puerto Rico

____ pts. of 4

K.

1. _____

   _____

2. _____

   _____

3. _____

   _____

You can:
❑ identify cultural information about Puerto Rico
____ pts. of 6

Hablar

L.

You can:
❑ talk about clothes and shopping
❑ use pronouns after prepositions
❑ use verbs like **gustar**
❑ use the present tense of irregular **yo** verbs   ____ pts. of 15

Speaking Criteria	5 Points	3 Points	1 Point
Content	You provide and demonstrate good use of appropriate vocabulary and grammar points studied in this lesson.	Some of your responses correspond to the questions and you demonstrate sufficient use of appropriate vocabulary and grammar points.	Few of your responses correspond to the topic and you do not demonstrate appropriate use of vocabulary and grammar uses.
Communication	All of the information in your sentences can be understood.	Most of the information on your sentences can be understood.	Most of the information in your sentences is difficult to understand.
Accuracy	Your responses have few mistakes in grammar and vocabulary.	Your responses have some mistakes in grammar and vocabulary.	Your responses have many mistakes in grammar and vocabulary.

Nombre _____ Clase _____ Fecha _____

Escribir

M.

_____

_____

_____

_____

_____

_____

_____

_____

_____

_____

_____

_____

_____

_____

_____

_____

_____

_____

You can:

❏ organize your ideas about clothes

❏ write about what you like to wear

❏ use pronouns after prepositions

❏ use the present tense of irregular **yo** verbs

____ pts. of 15

Writing Criteria	5 Points	3 Points	1 Point
Content	You provide abundant information about what you like to wear to school and parties.	You provide some information about what you like to wear to school and parties.	You provide very little information about what you like to wear to school and parties.
Communication	All the information in your sentences is organized and can be easily followed.	Most of the information is organized and can be easily followed.	Most of the information in your sentences is disorganized and hard to follow.
Accuracy	Your paragraph has few mistakes in grammar and vocabulary.	Your paragraph has some mistakes in grammar and vocabulary.	Your paragraph has many mistakes in grammar and vocabulary.

Examen Lección 2

> **¡AVANZA!** **Goal:** Demonstrate that you have successfully learned to:
>
> - describe past activities and events
> - ask for and talk about items at a marketplace
> - express yourself courteously
> - use **hace** + expressions of time
> - use irregular preterite verbs
> - use preterite of **-ir** stem-changing verbs

Escuchar

Test CD 1 Tracks 17, 18

A. Un vendedor quiere vender su artesanía. Escucha lo que dice y completa las oraciones. (6 puntos)

1. El vendedor dice que tiene cosas a ____.

2. Todos los artículos que él vende ____.

3. El vendedor hizo ____.

4. ____ es de oro.

5. ____ hizo las esculturas de madera.

6. ____ cuestan $20.

B. Inés habla con el vendedor. Escucha su conversación y contesta las siguientes preguntas con oraciones completas. (4 puntos)

1. ¿Qué quiere ver Inés?

2. ¿Cuánto le ofrece Inés al vendedor por el collar?

3. Finalmente, ¿qué compra Inés? ¿Cuánto cuesta?

4. ¿Por qué Inés no compra el collar?

Vocabulario y gramática

C. Un vendedor habla de la artesanía que vende. Completa cada oración para describir de qué material está hecho el artículo. (8 puntos)

1. La silla _____.

3. La casa _____.

2. La chaqueta _____.

4. El plato _____.

D. Pedro está de compras en el mercado. Completa su conversación con una vendedora con la expresión de cortesía apropiada. (6 puntos)

Vendedora: **1.** _____, señor, Entre por aquí.

Pedro: **2.** _____, señorita. ¿**3.** _____ esa cerámica?

Vendedora: **4.** _____, muchacho. Ésa es muy fina.

Pedro: ¿Cuánto cuesta?

Vendedora: Cuesta $40. Es una ganga.

Pedro: ¿$40? Sólo tengo $20. **5.** _____, señorita, pero no puedo comprarla. Gracias por ayudarme.

Vendedora: **6.** _____. Tal vez otro día.

E. Pedro habla de lo que pasó durante el Carnaval de Ponce la semana pasada. Completa el párrafo con el pretérito de los verbos apropiados de la caja. (6 puntos)

estar	poder	tener	saber	poner

La semana pasada Tere, Inés y yo **1.** _____ en Ponce. Allí, Inés **2.** _____ ver a los vejigantes por primera vez. Los vejigantes se **3.** _____ sus máscaras y hicieron muchas cosas locas. Durante el desfile, uno de los vejigantes invitó a Inés y Tere a bailar una bomba. Al principio, ellas no **4.** _____ qué hacer, pero pronto ellas se **5.** _____ máscaras y empezaron a bailar. ¡Qué lástima que yo no **6.** _____ una cámara! Nos divertimos mucho.

F. Inés les escribe a sus padres explicándoles lo que hizo con Tere y Pedro ayer. Completa el párrafo con el pretérito de los verbos apropiados del banco de palabras. (10 puntos)

pedir	vestirse	dormir (2 veces)	tener (2 veces)
servir	ponerse	seguir	preferir

Queridos padres,

Anoche Tere, Pedro y yo fuimos a «La Casita», un restaurante típico

puertorriqueño. Nosotros **1.** _____ ropa muy elegante, especialmente Tere. Ella

2. _____ con un vestido azul. Al restaurante, yo **3.** _____ pescado y arroz con

gandules, pero Pedro y Tere **4.** _____ comer un pastel de carne. Luego, la

camarera nos **5.** _____ la comida. No **6.** _____ dinero en efecto, entonces pagué

con tarjeta de crédito. Diez minutos después de llegar a casa, yo me fui a

acostar y me **7.** _____ muy pronto. Pedro y Tere **8.** _____ conversando. No sé a

qué hora se acostaron, pero esta mañana ellos **9.** _____ hasta las diez. **10.** _____

una noche muy divertida.

Hasta pronto,

Inés

G. Tere tiene unas preguntas para ti. Contesta usando oraciones completas. (10 puntos)

1. ¿Cuánto tiempo hace que vives en tu casa o apartamento?

2. ¿Cuánto tiempo hace que estuviste de vacaciones? ¿Adónde fuiste?

3. ¿Qué ropa te pusiste esta mañana para ir a la escuela?

4. ¿Cuánto tiempo hace que comiste algo nutritivo? ¿Qué pudiste comer?

5. ¿Qué te sirvieron la última vez que estuviste en un restaurante?

Leer

Lee el correo electrónico que Eliana le escribe a su hermana Marta. Luego completa las actividades H e I.

¿Qué tal, Marta? Te escribo desde San Juan. Hace tres días que estoy aquí con tía Yolanda y tío Victor. Hoy por la tarde fuimos a un mercado de artesanía. Había muchas cosas bonitas y baratas. Vimos artículos de cuero, como cinturones, bolsas y botas. Entonces, a papá le compré un cinturón de cuero negro. También vimos muchas joyas de oro, de plata y de piedra. Preferí comprarle a mamá un collar de oro, pero no pude porque son muy caros. Regateé con el vendedor y por fin me pidió $20 por un collar de plata muy fina para mamá. Vimos también muchos artículos de cerámica, todo hecho a mano. A nuestro hermano David, le compré una máscara de madera y una pintura pequeña. ¿Y a ti? La verdad es que no supe que comprarte. Tuve que buscar mucho tiempo para encontrar el regalo perfecto, pero no te voy a decir lo que es. ¡Es una sorpresa! Estoy aquí en San Juan cuatro días más y luego vuelvo a casa. Hasta pronto.
Eliana

H. Lee las oraciones siguientes y marca **C** (cierto) o **F** (falso) según el correo electrónico. Si la oración es falsa, corrígela. (5 puntos)

1. Eliana fue al mercado con sus hermanos hoy por la tarde.

2. Eliana prefirió comprarle a su mamá un collar de oro, pero al final le compró uno de plata.

3. Ella tuvo que regatear con el vendedor.

4. Después de ver los artículos de cuero, Eliana compró unas botas negras para su papá.

5. Marta supo lo que Eliana le compró.

I. Contesta las siguientes preguntas sobre el mismo correo electrónico usando oraciones completas. (5 puntos)

1. ¿Cuánto tiempo hace que Eliana está en San Juan?

2. ¿Qué cosas compró Eliana para sus padres?

3. ¿Qué prefirió Eliana comprarle a su mamá? ¿Por qué no pudo?

4. ¿Por qué Eliana pudo comprar un collar de plata fina?

5. ¿Cuánto tiempo en total va a pasar Eliana en San Juan?

Cultura

J. Completa las siguientes oraciones sobre la cultura puertorriqueña. (10 puntos)

1. Los vejigantes usan _____ de colores vivos.

2. Las máscaras de los vejigantes están hechas de _____.

3. Los vejigantes aparecen durante _____ de Ponce y la Fiesta del Apóstol Santiago en Loiza Aldea.

4. Los vejigantes participan en _____ y son traviesos.

5. _____ es música de baile de origen africano que los vejigantes bailan.

6. Las parrandas se celebran en Puerto Rico durante la temporada de _____.

7. En las parrandas, los puertorriqueños cantan canciones y _____.

8. La talla de santos es una artesanía puertorriqueña hecha de _____.

9. _____ son fachadas miniaturas de casas y edificios históricos de Puerto Rico.

10. _____ son telas de colores vivos, cortadas y cosidas en diseños de los indios de Panamá.

Hablar

K. Estás en un mercado de San Juan, Puerto Rico. Ves unas artesanías que te interesan. Tu profesor es el (la) vendedor(a). Habla sobre el objeto que te interesa usando las siguientes ideas en tu conversación. (15 puntos)

- Di que quieres ver el objeto.
- Pregunta sobre el objeto, su material, la calidad y el precio.
- Si quieres comprarlo, regatea.
- Usa expresiones de cortesía en tu conversación.

Escribir

L. Escribe un párrafo sobre la última vez que fuiste de compras. Menciona:

- cuándo fuiste de compras
- con quién fuiste de compras
- en cuántas tiendas entraste y en qué tipo de tiendas
- si pudiste encontrar unas gangas
- qué le pediste al vendedor y qué te dijo (15 puntos)

¡AVANZA! _____ pts. of 100   Nota _____

¡Éxito! You have successfully accomplished all your goals for this lesson.

Review: Before moving to the next lesson, use your textbook to review:

- ❏ describe past activities and events pp. 173, 178
- ❏ ask for and talk about items at a marketplace pp. 168–169
- ❏ express yourself courteously pp. 168–169
- ❏ using **hace** + expressions of time pp. 172, 175
- ❏ using preterite of **-ir** stem-changing verbs p. 178
- ❏ using irregular preterite verbs p. 173

Escuchar

A.

1. _____
2. _____
3. _____
4. _____
5. _____
6. _____

> **You can:**
> ❏ ask for and talk about items at a marketplace
> ____ pts. of 6

B.

1. _____
2. _____
3. _____
4. _____

> **You can:**
> ❏ talk about items at a marketplace
> ____ pts. of 4

Vocabulario y gramática

C.

1. _____
2. _____
3. _____
4. _____

> **You can:**
> ❏ talk about items at a marketplace
> ____ pts. of 8

D.

1. _____
2. _____
3. _____
4. _____
5. _____
6. _____

> **You can:**
> ❏ ask for and talk about items at a market place
> ❏ express yourself courteously
> ____ pts. of 6

E.

1. _____
2. _____
3. _____
4. _____
5. _____
6. _____

You can:
- ❏ describe past activities and events
- ❏ use irregular preterite verbs

____ pts. of 6

F.

1. _____   6. _____
2. _____   7. _____
3. _____   8. _____
4. _____   9. _____
5. _____ 10. _____

You can:
- ❏ describe past activities and events
- ❏ use preterite of **-ir** stem-changing verbs

____ pts. of 10

G.

1. _____
   _____
   _____
2. _____
   _____
   _____
3. _____
   _____
4. _____
   _____
   _____
5. _____
   _____
   _____

You can:
- ❏ describe past activities and events
- ❏ use **hace** + expressions of time
- ❏ use irregular preterite verbs

____ pts. of 10

Leer

H.

1. C   F

_____

2. C   F

_____

3. C   F

_____

4. C   F

_____

5. C   F

_____

You can:

☐ answer questions about items at a marketplace

____ pts. of 5

I.

1. _____

2. _____

3. _____

4. _____

5. _____

You can:

☐ write about items at a marketplace

____ pts. of 5

Cultura

J.

1. _____

2. _____

3. _____

4. _____

5. _____

6. _____

7. _____

8. _____

9. _____

10. _____

You can:
❑ make a cultural connection to Puerto Rican art, crafts and customs
____ pts. of 10

Hablar

K.

You can:
❑ ask for and talk about items at a market place
❑ express yourself courteously
____ pts. of 15

Speaking Criteria	5 Point	3 Point	1 Point
Content	You provide and demonstrate good use of appropriate vocabulary and grammar points studied in this lesson.	You demonstrate sufficient use of appropriate vocabulary and grammar points.	Few of your responses correspond to the topic and you do not demonstrate appropriate use of vocabulary and grammar points.
Communication	All of the information in your conversation can be understood.	Most of the information in your conversation can be understood.	Most of the information in your conversation is difficult to understand.
Accuracy	Your responses have few mistakes in grammar and vocabulary.	Your responses have some mistakes in grammar and vocabulary.	Your responses have many mistakes in grammar and vocabulary.

Nombre _____ Clase _____ Fecha _____

Escribir

L.

_____

_____

_____

_____

_____

_____

_____

_____

_____

_____

_____

_____

_____

_____

_____

You can:
❏ describe past events and activities
❏ talk about items in a marketplace
❏ use irregular preterite vebs
❏ use **-ir** preterite stem-changing verbs
____ pts. of 15

Writing Criteria	5 Points	3 Points	1 Point
Content	You provide abundant information about the last time you went shopping.	You provide some information about the last time you went shopping.	You provide very little information about the last time you went shopping.
Communication	All the information in your sentences is organized and can be easily and followed.	Most of the information is organized and can be easily followed.	Most of the information in your sentences is disorganized and hard to follow.
Accuracy	Your paragraph has few mistakes in grammar and vocabulary.	Your paragraph has some mistakes in grammar and vocabulary.	Your paragraph has many mistakes in grammar and vocabulary.

Examen Unidad 3

¡AVANZA! **Goal:** Demonstrate that you have successfully learned to:

- talk about clothing, shopping, and personal needs
- say whom things are for
- express opinions
- describe past activities and events
- ask for and talk about items at a marketplace

- express yourself courteously
- use verbs like **gustar**
- use present tense of irregular **yo** verbs
- use pronouns after prepositions
- use **hace** + expressions of time
- use irregular preterite verbs
- use preterite of **-ir** stem-changing verbs

Escuchar

Test CD 1 Tracks 19, 20

A. Escucha la conversación entre Inés y una vendedora en un mercado de San Juan. Completa las oraciones con palabras apropiadas de la conversación. (5 puntos)

1. Inés paga _____ por la pulsera.

2. Inés le compra _____ a su mamá.

3. Inés le compra _____ a su papá.

4. Inés le compra _____ a su hermana.

5. Inés está contenta al final porque _____.

B. Escucha la conversación entre Pedro y un vendedor en una tienda. Luego contesta las siguientes preguntas usando oraciones completas. (5 puntos)

1. ¿En qué tienda está Pedro?

2. ¿Qué le pide Pedro al vendedor?

3. ¿Cómo le quedan los zapatos negros a Pedro?

4. ¿Qué número de zapatos necesita Pedro?

5. ¿Compra Pedro los zapatos negros o los marrones? ¿Por qué?

Vocabulario y gramática

C. Estás en un almacén con un(a) amigo(a). Para cada dibujo de abajo, identifica el artículo que ves. También da tu opinión de él y di cómo te queda o le queda a tu amigo(a). (8 puntos)

 1.    2.    3.    4.

 5.    6.    7.    8.

D. Identifica la palabra o la expresión según las siguientes definiciones. (6 puntos)

1. Es un artículo bueno con un precio muy, muy barato.

2. Es un tipo de metal muy fino y amarillo que se vende mucho en las joyerías.

3. Es una pintura de una persona.

4. Es otra manera de decir «De nada».

5. Si estás en una tienda y quieres ver de cerca una artesanía o joya, puedes preguntarle esto al vendedor.

6. Si hay muchas personas delante de ti, pero necesitas pasarles rápidamente, les puedes decir esto.

E. Pedro habla de lo que va a hacer este viernes por la noche. Completa lo que dice usando el presente de los verbos indicados. (5 puntos)

saber	hacer	salir	conocer	tener

1. Yo _____ que este viernes va a ser excelente. Normalmente yo **2.** _____

mi tarea viernes por la noche, pero este viernes, no. **3.** Yo _____ porque es el

cumpleaños de mi amigo Juan Manuel y hay fiesta en su casa. **4.** Yo _____

a todos sus amigos y vamos a celebrar juntos. **5.** Yo _____ que llegar a las ocho

en punto porque la fiesta es una sorpresa.

F. Inés habla de lo que hizo con sus primos ayer. Completa su carta con los verbos apropiados del banco de palabras. Usa el pretérito de estos verbos. (10 puntos)

tener	poner	servir	estar	saber
seguir	preferir	dormir	pedir (2 veces)	

Ayer yo **1.** _____ un día excelente. Tere, Pedro y yo **2.** _____ en Ponce. Allí

3. _____ que el primer gobernador de Puerto Rico se llamó Juan Ponce de León

y en su honor esta ciudad se llama Ponce. Luego Tere y yo fuimos al Parque Las

Delicias a caminar, pero Pedro **4.** _____ ir a beber un jugo de naranja en un café

cerca del parque. Luego, nos reunimos con él en el café para almorzar. Yo

5. _____ una hamburguesa y Pedro y Tere **6.** _____ un sándwich de jamón y

queso. El camarero nos **7.** _____ muy rápido y fue muy cortés. Después de

almorzar, nosotros **8.** _____ caminando por Ponce hasta que regresamos a San

Juan. Cuando llegamos a casa nos **9.** _____ los pijamas, nos acostamos y nos

10. _____ inmediatamente. ¡Fue un día fantástico!

G. Completa cada una de las siguientes oraciones con el pronombre preposicional apropiado. (5 puntos)

1. ¿Quieres ir al mercado de artesanía con _____? (Alejandro y yo)

2. Si, quiero comprar regalos para _____. (Mamá y Papá)

3. Este collar es perfecto para _____. (mi tía Julia)

4. Le voy a dar esta máscara de madera a _____. (mi hermano)

5. A todos ellos les gusta recibir regalos de _____. (yo)

H. Escribe oraciones usando **Hace... que** + un verbo en el presente o el pretérito para indicar la duración de una situación o para decir cuándo pasó un evento. (6 puntos)

1. Compré este reloj el mes pasado.

2. Mi hermana me está visitando. Llegó el lunes. Hoy es viernes.

3. Estoy haciendo un examen. Empezó a las nueve. Ahora son las nueve y media.

4. Yani vive en San Juan. Llegó allí en el año 2000.

5. Me conociste el año pasado.

6. Comí exactamente dos horas antes de este momento.

Leer

Lee el anuneio para un viaje a Panamá. Luego completa las actividades I y J.

¿Les interesa un viaje único a Panamá? ¡Les traigo conmigo! Soy Bartolomé del Río, y soy el mejor guía de viajes de todo Centroaméria. Si a ustedes les importan la cultura y la tradición, yo conozco el lugar perfecto para sus vacaciones: las islas San Blas.

Después de un corto vuelo de veinte minutos desde la Ciudad de Panamá, pueden vivir el pasado en el archipiélago de San Blas. Situado en el mar Caribe, este archipiélago tiene más de cuatrocientas islas, muchas sin nombres.

En estas islas viven los cunas, una comunidad indígena, quienes conservan sus viejas costumbres del pasado. Viven más de veinte mil indígenas en las islas. Las mujeres se visten con faldas largas y blusas de muchos colores hechas a mano. En las manos y los pies pintan adornos de muchos colores. También usan enormes aretes en las orejas y anillos de oro en la nariz.

El junio pasado tuve un grupo de cuarenta turistas de ocho países diferentes. Los *otros* grupos turísticos de *otras* agencias de viaje prefirieron ir de compras en los centros comerciales y dormir en los hoteles de la Ciudad de Panamá, pero el grupo que fue *conmigo* pudo ver algo único. Todos pudieron regatear en los mercados de artesanías indígenas. Tuvieron la oportunidad de conocer la cultura cuna y comer platos tradicionales. Durmieron en bonitas casitas de madera en la playa.

¿Qué dicen ustedes? ¿Vienen conmigo este junio? Por el bajo precio de $1.000 USD, ¡este viaje es una ganga!

I. Lee las siguientes oraciones sobre el párrafo. Según lo que leíste, marca C (cierto) o F (falso). Si la oración es falsa, corrígela. (5 puntos)

1. Los indios cunas son una comunidad indígena puertorriqueña.

2. El archipiélago está lejos de Panamá.

3. En el archipiélago, más de cuatro mil indígenas viven en veinte islas.

4. Según Bartolomé, el viaje es un poco caro pero bueno.

5. Este viaje es bueno para ti si te interesa la historia indígena de Centroamérica.

J. Contesta las siguientes preguntas usando oraciones completas. (5 puntos)

1. ¿Las islas San Blas son tradicionales o modernas? ¿Cómo lo sabes?

2. ¿Cómo se visten las mujeres en el archipiélago?

3. ¿Qué hicieron los turistas que fueron con Bartolomé el año pasado?

4. ¿Qué hicieron los otros?

5. ¿Qué te interesa más, viajar con Bartolomé o con otra agencia de viajes? ¿Por qué?

Cultura

K. Usando dos o tres palabras, completa las frases siguientes sobre la cultura puertorriqueña. (5 puntos)

1. La bomba y la plena son _____.

2. Los timbales son _____.

3. Los taínos fueron _____.

4. Plaza las Américas es _____.

5. Los vejigantes son _____.

L. Contesta las siguientes preguntas sobre Puerto Rico y Panamá. (5 puntos)

1. ¿Dónde está Puerto Rico y cuál es su capital?

2. ¿Qué es una artesanía tradicional de Panamá?

3. ¿Con qué material se hace la talla de santos?

4. ¿Qué piden las personas que cantan durante un asalto navideño?

5. ¿Quién es José Campeche?

Hablar

M. Habla con tu profesor sobre la ropa que llevan / les gusta llevar a los jóvenes. Describe esta ropa. Habla también sobre las tiendas. Da tu opinión sobre la moda para los jóvenes y habla de tus preferencias personales. (15 puntos)

Escribir

N. Escribe un párrafo sobre la última ciudad interesante que visitaste. Incluye:

- cuánto tiempo hace que fuiste
- a qué ciudad fuiste y con quién
- los lugares en la ciudad que visitaste
- lo que compraste para ti y para tu familia
- qué te interesó más de la ciudad
- qué preferiste ver/que prefirió tu familia
- las tiendas y los mercados que visitaste y qué compraste (15 puntos)

¡AVANZA! _____ pts. of 100   Nota _____

¡Éxito! You have successfully accomplished all your goals for this unit.

Review: Before moving to the next unit, use your textbook to review:

- ❏ talking about clothing, shopping and personal needs pp. 144–145
- ❏ saying for whom things are p. 154
- ❏ expressing opinions p. 148
- ❏ describing past activities and events pp. 173, 178
- ❏ asking for and talking about items at a marketplace pp. 168–169
- ❏ expressing yourself courteously pp. 168–169
- ❏ using verbs like **gustar** p. 148
- ❏ using present tense of irregular **yo** verbs p. 149
- ❏ using pronouns after prepositions p. 154
- ❏ using **hace** + expressions of time pp. 172, 175
- ❏ using irregular preterite verbs p. 173
- ❏ using preterite of **-ir** stem-changing verbs p. 178

Escuchar

A.

1. _____

2. _____

3. _____

4. _____

5. _____

You can:

❏ ask for and talk about items at a marketplace

❏ say whom things are for

____ pts. of 5

B.

1. _____

2. _____

3. _____

4. _____

5. _____

You can:

❏ talk about clothing and shopping

____ pts. of 5

Vocabulario y gramática

C.

1. _____
_____

2. _____
_____

3. _____

4. _____
_____

5. _____

6. _____

7. _____

8. _____
_____

You can:

❏ identify articles of clothing

____ pts. of 8

UNIT 3
Unit Test

Unidad 3
Unit Test

114

¡Avancemos! **Level 2**
Pre-AP Assessment

D.

1. _____
2. _____
3. _____
4. _____
5. _____
6. _____

You can:
❏ express yourself courteously
❏ ask for and talk about items at a marketplace

____ pts. of 6

E.

1. _____
2. _____
3. _____
4. _____
5. _____

You can:
❏ talk about activities using irregular **yo** forms

____ pts. of 5

F.

1. _____   6. _____
2. _____   7. _____
3. _____   8. _____
4. _____   9. _____
5. _____   10. _____

You can:
❏ describe past activities and events

____ pts. of 10

G.

1. _____
2. _____
3. _____
4. _____
5. _____

You can:
❏ say whom things are for

____ pts. of 5

UNIT 3
Unit Test

H.

1. _____
2. _____
3. _____
4. _____
5. _____
6. _____

<table>
<tr><td>You can:</td></tr>
<tr><td>❑ use hace + expressions of time</td></tr>
<tr><td>____ pts. of 6</td></tr>
</table>

Leer

I.

1. C   F

_____

2. C   F

_____

3. C   F

_____

4. C   F

_____

5. C   F

_____

<table>
<tr><td>You can:</td></tr>
<tr><td>❑ answer questions about Panamá</td></tr>
<tr><td>____ pts. of 5</td></tr>
</table>

J.

1. _____

_____

2. _____

_____

3. _____

_____

4. _____

_____

5. _____

_____

<table>
<tr><td>You can:</td></tr>
<tr><td>❑ answer questions about Panamá</td></tr>
<tr><td>____ pts. of 5</td></tr>
</table>

Cultura

K.

1. _____

2. _____

3. _____

4. _____

5. _____

> **You can:**
> ❏ make a cultural connection to Puerto Rico
>
> ____ pts. of 5

L.

1. _____

   _____

2. _____

   _____

3. _____

   _____

4. _____

   _____

5. _____

   _____

> **You can:**
> ❏ make a cultural connection to Puerto Rico and Panamá
>
> ____ pts. of 5

Hablar

M.

> **You can:**
> ❏ talk about clothing and shopping
> ❏ express opinions   ____ pts. of 15

Speaking Criteria	5 Points	3 Points	1 Point
Content	All of your responses correspond to the topic and you demonstrate good use of appropriate vocabulary and grammar studied in this lesson.	Some of your responses correspond to the topic and you demonstrate sufficient use of appropriate vocabulary and grammar points.	Few of your responses correspond to the topic and you do not demonstrate appropriate use of vocabulary and grammar uses.
Communication	All the information in your responses can be understood.	Most of the information in your responses can be understood.	Most of the information in your responses is difficult to understand.
Accuracy	Your responses have few mistakes in grammar and vocabulary.	Your responses have some mistakes in grammar and vocabulary.	Your responses have many mistakes in grammar and vocabulary.

Escribir

N.

_____

_____

_____

_____

_____

_____

_____

_____

_____

_____

_____

_____

_____

_____

_____

_____

_____

_____

_____

_____

You can:
❏ describe past activities and events
❏ say whom things are for
❏ talk about items at a marketplace
❏ express opinions
____ pts. of 15

Writing Criteria	5 Points	3 Points	1 Point
Content	You provide abundant information about a city you visited.	You provide some information about a city you visited.	You provide some information about a city you visited.
Communication	All the information in your sentences is organized and can be easily followed.	Most of the information is organized and can be easily followed.	Most of the information in your sentences is disorganized and hard to follow.
Accuracy	Your paragraph has few mistakes in grammar and vocabulary.	Your paragraph has some mistakes in grammar and vocabulary.	Your paragraph has many mistakes in grammar and vocabulary.

Examen Lección 1

> **¡AVANZA!** **Goal:** Demonstrate that you have successfully learned to:
>
> - describe continuing activities in the past
> - narrate past events and activities
> - describe people, places, and things
> - use past participles as adjectives
> - use the imperfect tense
> - use the preterite and the imperfect

Escuchar

Test CD 1 Tracks 21, 22

A. Luis y Ana van a presentar una obra de teatro sobre una leyenda mexicana. Escucha la conversación entre Luis (Popo) y Ana (Ixta). Luego, completa las oraciones. (6 puntos)

1. Popo va _____.

2. Al volver, Popo va _____.

3. Si Popo muere, _____.

4. A Popo, no le gusta _____.

5. Ixta tiene que _____.

6. _____ va a estar con Popo.

B. Escucha la segunda escena de la obra de teatro y contesta las siguientes preguntas. (4 puntos)

1. ¿Qué le contó Chimali al emperador cuando regresó de la guerra?

2. ¿Por qué Ixta cree que Chimali no dice la verdad?

3. ¿Adónde va Ixta?

4. ¿Según el emperador, qué le va a pasar a Ixta?

Vocabulario y gramática

C. Ana escribe una leyenda romántica para su clase de español. Completa el párrafo con las expresiones apropiadas. (10 puntos)

Había una **1.** _____ una princesa muy bella, muy **2.** _____, que se llamaba Beatriz.

Ella vivía encima de una **3.** _____ alta en un palacio con su padre, el **4.** _____

Wenceslao I. Osvaldo, un guerrero heroico, estaba muy **5.** _____ de ella. Él quería

6. _____ con ella después de la guerra. Osvaldo y su gran **7.** _____ pelearon

valientemente, pero perdieron la batalla y el guerrero no **8.** _____. Tres días después,

Beatriz recibió un **9.** _____ que decía que el valiente guerrero murió. La jóven triste

empezó a **10.** _____.

D. Lee las siguientes oraciones. Luego, escribe una nueva oración en que describes los sustantivos subrayados para decir cómo son o cómo están. Usa los verbos de la caja para formar adjetivos en tu descripción. (5 puntos)

preparar	dormir	perder	cansar	conocer

1. Esta leyenda es muy popular. ¿Cómo es?

2. Los enemigos saben lo que van a hacer. ¿Cómo están?

3. Los guerreros peleaban todo el día. ¿Cómo están?

4. La guerra no continúa. ¿Como está?

5. El emperador descansa después de la batalla. ¿Cómo está?

E. Un estudiante estadounidense habla de un año escolar en la Ciudad de México. Completa las oraciones en el **imperfecto** usando las palabras dadas. (10 puntos)

1. Cuando / yo / tener / 16 años / vivir / México.

2. Mis abuelos y yo / vivir / centro histórico.

3. Yo / estudiar / escuela / cerca de / parque.

4. Yo / ir / escuela / autobús.

5. Mi profesor / contar / nosotros / muchas leyendas.

6. Nosotros los estudiantes / escuchar / atención.

7. Nosotros / querer / conocer / leyendas mexicanas.

8. Mis amigos / ir / biblioteca / después / escuela.

9. Ellos / llevar / libros / cuentos / casa.

10. El profesor / ser / amable / nosotros.

F. Ahora, Luis habla de una de las experiencias favoritas de su niñez. Completa el párrafo con los verbos apropiados del banco de palabra. Usa la forma pretérito o imperfecto de estos verbos. (10 puntos)

hacer	tener	llevar	estar	ser (2 veces)
visitar	ver	aprender	ir	

En 1995, cuando yo **1.** _____ 5 años, mi padre nos **2.** _____ a mí y a mi hermano

Teo a la Ciudad de México. Mi hermano y yo **3.** _____ muy contentos porque ésa

4. _____ nuestro primer viaje a la capital. Muy temprano por la mañana, nosotros

5. _____ al Zócalo para ver las ruinas aztecas debajo de la plaza. **6.** _____ las

ocho y **7.** _____ mucho sol. Para comprender mejor la civilización azteca,

nosotros **8.** _____ el Museo de Antropología. ¡Qué interesante! En el museo yo

9. _____ muchas esculturas fabulosas. Mi hermano y yo **10.** _____ mucho de esta

gran civilización. Nunca voy a olvidar este viaje.

G. Piensa en un libro o una película que te gustó mucho. Luego, escribe cinco oraciones completas sobre el personaje principal y lo que pasó en el cuento según las siguientes pistas. Usa verbos en el imperfecto y el pretérito. (5 puntos)

1. nombre del personaje (héroe o heroína)

2. descripción del personaje

3. hábito o rutina del personaje

4. el conflicto principal o un evento importante del cuento

5. la resolución del conflicto o el final del cuento

Leer

Lee el siguiente párrafo sobre la Plaza de las Tres Culturas en la Ciudad de México. Luego, completa las actividades H e I.

La Plaza de las Tres Culturas en la Ciudad de México es un espacio público *(public space)* que representa el México prehispánico, el México colonial y el México moderno. Hay ruinas aztecas, una catedral construida por los españoles y construcciones del siglo XX que se unen para representar simbólicamente la historia del país.

La plaza se encuentra en un lugar que hace muchos siglos se llamaba Tlatelolco. Allí había el mercado más importante de la cultura azteca, donde vendían todo tipo de artículos y alimentos *(foods)*. Ésta era la «primera cultura». Luego, durante el período colonial—la «segunda cultura»—los españoles construyeron la catedral de Santiago fundaron el Colegio Santa Cruz en este mismo lugar. Durante el siglo XX, el gobierno mexicano transformó esta plaza de la Ciudad de México en un espacio que refleja *(reflects)* la evolución de la cultura mexicana. Allí está la Torre de Tlatelolco, construida en 1963, donde se encuentra La Secretaría de Relaciones Exteriores *(Department of Foreign Affairs)*, y muy cerca hay apartamentos y oficinas donde viven y trabajan varios ciudadanos de la «tercera cultura» de México.

H. Lee las siguientes oraciones. Marca **C** (cierto) o **F** (falso) según lo que leíste. Si la oración es falsa, corrígela. (4 puntos)

1. Hace muchos siglos, el lugar era un centro económico español.

2. Hoy día no queda nada allí de las épocas indígenas o coloniales: sólo hay construcciones nuevas.

3. La Torre de Tlatelolco fue una construcción azteca.

4. La «tercera cultura» de México es el México de hoy.

I. Contesta las siguientes preguntas usando oraciones completas en español. (6 puntos)

1. ¿Cómo refleja la plaza la historia de México?

2. ¿Cuáles son las «tres culturas» de México?

3. ¿Cómo sabes que la plaza es un lugar importante?

Cultura

J. Completa las siguientes oraciones sobre el país de México. (6 puntos)

1. La capital de México es _____.

2. Las Huellas de Acahualinca son un sitio arqueológico en _____.

3. El estado de Oaxaca es conocido por _____.

4. Frida Kahlo y Diego Rivera eran _____.

5. Las pinturas de Rodolfo Morales reflejan _____ en un pueblo mexicano.

6. Paricutín es _____.

K. Contesta las siguientes preguntas sobre la cultura mexicana. (4 puntos)

1. ¿Qué influencia reflejan las artesanías, la comida y muchos nombres de lugares de México?

2. ¿Qué es la Plaza de la Constitución?

3. ¿Qué hizo el pintor Rodolfo Morales para la comunidad?

4. ¿Qué explica la leyenda «El fuego y el tlacuache»?

Nombre _____ Clase _____ Fecha _____

Hablar

L. Elige dos de los siguientes dibujos. Explícale a tu profesor lo que pasó en cada
escena. Recuerda que debes hablar de quiénes eran los personajes, dónde
estaban y qué hicieron. (15 puntos)

Escribir

M. Escribe un párrafo en el que cuentas cómo eras cuando tenías 9 o 10 años.
Incluye:

- una descripción de ti y de tu lugar de residencia
- información sobre tu rutina diaria y tu escuela
- tus actividades preferidas
- un evento especial de ese año (15 puntos)

▸AVANZA!   _____ pts. of 100   Nota _____

¡Éxito! You have successfully accomplished all your goals for this lesson.

Review: Before moving to the next lesson, use your textbook to review:

❏ describing continuing activities in the past p. 203
❏ narrating past events and activities p. 208
❏ describing people, places and things pp. 198–199
❏ using past participles as adjectives p. 202
❏ using the imperfect tense p. 203
❏ using the preterite and the imperfect tense p. 208

Escuchar

A.

1. _____

2. _____

3. _____

4. _____

5. _____

6. _____

> **You can:**
> ❑ describe people and things
> ____ pts. of 6

B.

1. _____

_____

2. _____

_____

3. _____

_____

4. _____

_____

> **You can:**
> ❑ talk about activities in the past
> ____ pts. of 4

Vocabulario y gramática

C.

1. _____   6. _____

2. _____   7. _____

3. _____   8. _____

4. _____   9. _____

5. _____   10. _____

> **You can:**
> ❑ narrate past events and activities
> ____ pts. of 10

D.

1. _____

2. _____

3. _____

4. _____

5. _____

> **You can:**
> ❏ use the past participle to describe people, places, and things
>
> ____ pts. of 5

E.

1. _____

2. _____

3. _____

4. _____

5. _____

6. _____

7. _____

8. _____

9. _____

10. _____

> **You can:**
> ❏ use the imperfect tense to discuss continuing activities in the past
>
> ____ pts. of 10

F.

1. _____   6. _____

2. _____   7. _____

3. _____   8. _____

4. _____   9. _____

5. _____   10. _____

> **You can:**
> ❏ use the imperfect and the preterite to narrate past events
>
> ____ pts. of 10

G.

1. _____

  _____

2. _____

  _____

3. _____

  _____

4. _____

  _____

5. _____

  _____

> **You can:**
> ❏ describe people, places, and things
> ❏ narrate past events
> ____ pts. of 5

Leer

H.

1. C   F

  _____

2. C   F

  _____

3. C   F

  _____

4. C   F

  _____

> **You can:**
> ❏ describe continuing activities in the past
> ____ pts. of 4

I.

1. _____

  _____

  _____

2. _____

  _____

3. _____

  _____

  _____

> **You can:**
> ❏ describe continuing activities in the past
> ____ pts. of 6

Cultura

J.

1. _____ 4. _____

2. _____ 5. _____

3. _____ 6. _____

> **You can:**
> ❑ make a cultural connection to Mexico
>
> ____ pts. of 6

K.

1. _____

2. _____

_____

3. _____

_____

4. _____

_____

> **You can:**
> ❑ make a cultural connection to Mexico
>
> ____ pts. of 4

Hablar

L.

> **You can:**
> ❑ narrate past events and activities and describe people, places, and things
>
> ____ pts. of 15

Speaking Criteria	5 Points	3 Points	1 Point
Content	All of your responses correspond to the topic and you demonstrate good use of appropriate vocabulary and grammar.	Some of your responses correspond to the topic and you demonstrate sufficient use of appropriate vocabulary and grammar.	Few of your responses correspond to the topic and you do not demonstrate appropriate use of vocabulary and grammar.
Communication	All the information in your responses can be understood.	Most of the information in your responses can be understood.	Most of the information in your responses is difficult to understand.
Accuracy	Your responses have few mistakes in grammar and vocabulary.	Your responses have some mistakes in grammar and vocabulary.	Your responses have many mistakes in grammar and vocabulary.

Nombre _____ Clase _____ Fecha _____

Escribir

M.

_____

_____

_____

_____

_____

_____

_____

_____

_____

_____

_____

_____

_____

_____

_____

_____

_____

_____

_____

_____

You can:
❑ describe continuing activities in the past
❑ narrate past events and activities
____ pts. of 15

Writing Criteria	5 Points	3 Points	1 Point
Content	You provide abundant information about your childhood.	You provide some information about your childhood.	You provide very little information about your childhood.
Communication	All the information in your sentences is organized and can be easily followed.	Most of the information is organized and can be easily followed.	Most of the information in your sentences is disorganized and hard to follow.
Accuracy	Your paragraph has few mistakes in grammar vocabulary.	Your paragraph has some mistakes in grammar and vocabulary.	Your paragraph has many mistakes in grammar and vocabulary.

Examen Lección 2

> **¡AVANZA!** **Goal:** Demonstrate that you have successfully learned to:
>
> - describe early civilizations and their activities
> - describe the layout of a modern city
> - ask for and give directions
> - use verbs with **i → y** spelling change in the preterite
> - use preterite of **-car**, **-gar**, and **-zar** verbs
> - use verbs with irregular preterite stems

Escuchar

Test CD 1 Tracks 23, 24

A. Escucha al guía hablar de la civilización maya. Según lo que dice, completa las oraciones siguientes. (5 puntos)

1. La civilización maya fue _____.

2. Las ruinas nos dicen que los mayas conocieron _____.

3. Para trabajar la piedra, los mayas usaron _____.

4. Para comer, los mayas _____.

5. Tuvieron un calendario de _____.

B. Un guía les habla a los turistas de una pirámide de Chichén-Itzá. Escucha lo que dice y contesta las siguientes preguntas usando oraciones completas. (5 puntos)

1. ¿Cómo es la pirámide?

2. ¿Qué es la pirámide, una tumba o un monumento?

3. ¿Qué encontraron los arqueólogos dentro de la pirámide?

4. ¿Quién era Kukulcán?

5. Al final, ¿qué van a hacer los turistas con el guía?

Vocabulario y gramática

C. Lee las siguientes definiciones y escribe la palabra que describe cada una.
(10 puntos)

1. Lo que se usa para contar los días y meses: ____

2. Otra palabra para decir nuevo, de esta época: ____

3. Luces en la avenida que indican qué deben hacer los coches: ____

4. Lo que hacen los arqueólogos para encontrar objetos antiguos: ____

5. Una persona que planta y cultiva su comida: ____

6. Lo que hace un animal, como un jaguar, si quiere comer otro animal: ____

7. Tienes que hacer esto para llegar al otro lado de una avenida: ____

8. Las construyeron los toltecas, mayas y aztecas en México y Guatemala, y también las puedes ver en Egipto: ____

9. Una representación grande en piedra de una persona importante o de un dios: ____

10. Un edificio donde se practica una religión; puedes verlo en una ciudad de hoy o en ruinas antiguas: ____

D. Dale consejos a un turista que está visitando una ciudad mexicana y quiere ver las atracciones. Usa oraciones completas e incluye la palabra o frase que representa cada dibujo de abajo. (5 puntos)

1.

4.

2.

5.

3.

E. Completa el correo electrónico de Luis con los verbos apropiados del banco de palabras. Usa el pretérito de los verbos y usa cada verbo sólo una vez. (10 puntos)

llegar	leer	cruzar	comenzar	buscar
almorzar	construir	empezar	sacar	pagar

Querido Esteban:

¿Tú no **1.** _____ el correo electrónico que te mandé hace dos días? Lo pasé muy bien en Teotihuacán. Primero, yo sólo **2.** _____ $800 per el viaje, todo incluído. ¡Qué barato! Antes de viajar fui a la biblioteca y **3.** _____ varios libros sobre la cultura teotihuacana. Mi viaje **4.** _____ el viernes temprano y visité varias ruinas con el grupo turístico. Nosotros **5.** _____ con la Pirámide del Sol y luego continuamos con la Pirámide de la Luna. Los teotihuacanos también **6.** _____ un templo muy bonito allí para el dios Quetzalcóatl. ¡Yo **7.** _____ mi cámara inmediatamente de mi mochila para tomar fotos! Después de visitar todo, nosotros **8.** _____ en un restaurante muy bonito cerca del sitio. Luego, yo **9.** _____ la calle para usar un teléfono publico frente al restaurante. Cuando yo **10.** _____ al hotel, estaba muy cansado.

Tu amigo, Luis

F. Carlos habla de sus últimas vacaciones. Usa las pistas para construir sus oraciones en el pretérito. (5 puntos)

1. primo / venir / visitarme / vacaciones

2. él y su amiga / traer / regalos

3. yo / decirle / me gustaban

4. nosotros / querer salir al parque / pero / llover

5. ¿Qué / traer / tú / viaje?

G. Escribe cinco oraciones completas sobre tu clase de español de ayer usando el pretérito de los verbos dados. (10 puntos)

1. Yo : practicar...

2. Mis amigos y yo : querer...

3. ¿Tú... ? : venir...

4. Mi maestro(a) : decir...

5. Mis compañeros de clase : leer...

Leer

Lee el siguiente párrafo sobre las ruinas mayas de Tulúm. Luego completa las actividades H y I.

Las ruinas de Tulúm son unas de las ruinas mayas más conocidas de México. Se encuentran en el estado de Quintana Roo en la Península de Yucatán, frente al mar Caribe.

Tulúm, que significa *muro* (*wall*) en la lengua maya, es el nombre de una de las últimas ciudades construidas y habitadas por los antiguos mayas. Hoy día, las ruinas de Tulúm son un fino ejemplo de la arquitectura maya. Casi todos de los edificios que quedan fueron construidos en el siglo XII, pero la ciudad fue fundada durante la época clásica, en el siglo VI.

Hay un gran muro, un palacio, varios templos, casas, y otros sitios religiosos y ceremoniales. Muchas de estas ruinas están en excelentes condiciones a mil años después de su construcción.

Tulúm era un puerto importante cuando vinieron los españoles en 1518. Los conquistadores españoles dijeron que esta ciudad, construida con vistas a las aguas azules del Caribe, era tan bella y grande como la ciudad española de Sevilla.

H. Lee las siguientes oraciones. Marca C (cierto) o F (falso) según lo que leíste. Si la oración es falsa, corrígela. (4 puntos)

1. Las ruinas de Tulúm se encuentran en las montañas.

2. La palabra Tulúm es de origen español y quiere decir «ciudad bella».

3. Tulúm era un puerto importante en 1518.

4. Las ruinas de Tulúm son importantes pero su condición no está muy buena hoy día.

I. Contesta las siguientes preguntas usando oraciones completas en español. (6 puntos)

1. ¿Dónde está Tulúm y por qué es un lugar interesante para visitar?

2. ¿Cuándo construyeron los mayas los edificios de Tulum? ¿Qué tipos de edificios quedan?

3. ¿Qué dijeron los conquistadores españoles cuando llegaron a Tulúm?

Cultura

J. Completa las siguientes oraciones con la palabra que falta. (4 puntos)

1. El quechua es el idioma indígena más común en _____

2. El antiguo juego de pelota en México se llama _____

3. Más de un millón de mexicanos hablan el _____, el idioma de los aztecas.

4. Las palabras *llama, pampa* y *papa* son de origen _____.

K. Contesta las siguientes preguntas usando oraciones completas. (6 puntos)

1. ¿Qué región de México ocuparon los zapotecas?

2. ¿Qué tipo de artesanías hacen los indígenas otavaleños?

3. ¿Qué es la Guelaguetza?

Nombre _____ Clase _____ Fecha _____

Hablar

L. Observa el mapa en esta página. Contesta las preguntas de abajo para decirle a tu maestro(a) cómo ir de un lugar a otro. (15 puntos)

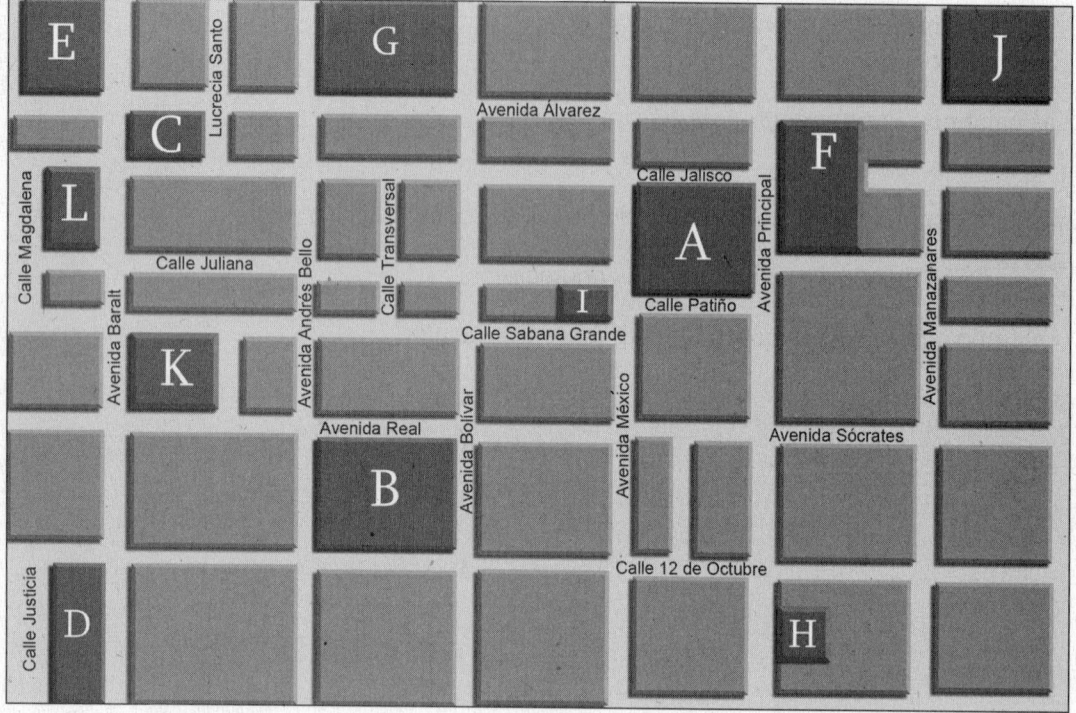

1. ¿Cómo puedo llegar a C desde A?

2. ¿Cómo voy de B a H?

3. ¿Cómo voy de C a G?

4. ¿Cómo llego a A desde D?

5. ¿Cómo voy de F a B?

Escribir

M. Escribe un párrafo sobre una cuidad que visitaste alguna vez. Incluye:

- los lugares que visitaste y las cosas que viste.
- las actividades que hiciste.
- lo que trajiste contigo cuando regresaste. (15 puntos)

¡AVANZA! _____ pts. of 100   Nota _____

¡Éxito! You have successfully accomplished all your goals for this lesson.

Review: Before moving to the next lesson, use your textbook to review:

❏ describing early civilizations and their activities pp. 222–223
❏ describing the layout of a modern city pp. 222–223
❏ asking for and giving directions pp. 222–223
❏ using verbs with **i → y** spelling change in the preterite p. 226
❏ using the preterite of **-car, -gar**, and **-zar** verbs p. 227
❏ using verbs with irregular preterite stems p. 232

Escuchar

A.

1. _____
2. _____
3. _____
4. _____
5. _____

You can:
❏ describe early civilizations and their activities

____ pts. of 5

B.

1. _____
   _____
2. _____
   _____
3. _____
   _____
4. _____
   _____
5. _____
   _____

You can:
❏ answer questions about an early civilization

____ pts. of 5

Vocabulario y gramática

C.

1. _____
2. _____
3. _____
4. _____
5. _____

6. _____
7. _____
8. _____
9. _____
10. _____

You can:
❏ describe early civilizations and their activities
❏ ask for and give directions

____ pts. of 10

D.

1. _____

2. _____

3. _____

4. _____

5. _____

> **You can:**
> ❏ describe the layout of a modern city
>
> ____ pts. of 5

E.

1. _____ 6. _____

2. _____ 7. _____

3. _____ 8. _____

4. _____ 9. _____

5. _____ 10. _____

> **You can:**
> ❏ use the preterite of **-car, -gar,** and **-zar** verbs
> ❏ use verbs with **i→y** spelling change in the preterite
>
> ____ pts. of 10

F.

1. _____
   _____

2. _____
   _____

3. _____
   _____

4. _____
   _____

5. _____
   _____

> **You can:**
> ❏ use verbs with irregular preterite stems
>
> ____ pts. of 5

G.

1. _____

2. _____

3. _____

4. _____

5. _____

> **You can:**
> ❏ use the preterite tense
>
> ____ pts. of 10

Leer

H.

1. C   F

_____

2. C   F

_____

3. C   F

_____

4. C   F

_____

You can:
- ❏ answer questions about an early civilization

____ pts. of 4

I.

1. _____

_____

_____

2. _____

_____

_____

3. _____

_____

_____

You can:
- ❏ answer questions about an early civilization

____ pts. of 6

Cultura

J.

1. _____

2. _____

3. _____

4. _____

You can:
- ❏ make a cultural connection to Mexico and Ecuador

____ pts. of 4

K.

1. _____

_____

2. _____

_____

3. _____

_____

You can:
❏ make a cultural connection to Mexico and Ecuador
____ pts. of 6

Hablar

L.

You can:
❏ ask for and give directions using a city map
____ pts. of 15

Speaking Criteria	5 Points	3 Points	1 Point
Content	All of your responses correspond to the questions, and you demonstrate good use of appropriate vocabulary and grammar.	Some of your responses correspond to the questions, and you demonstrate sufficient use of appropriate vocabulary and grammar.	Few of your responses correspond to the questions, and you do not demonstrate appropriate use of vocabulary and grammar.
Communication	All the information in your responses can be understood.	Most of the information in your responses can be understood.	Most of the information in your responses is difficult to understand.
Accuracy	Your responses have few mistakes in grammar and vocabulary.	Your responses have some mistakes in grammar and vocabulary.	Your responses have many mistakes in grammar and vocabulary.

Escribir

M.

_____

_____

_____

_____

_____

_____

_____

_____

_____

_____

_____

_____

_____

_____

_____

_____

_____

_____

_____

_____

_____

You can:

❑ describe the layout
   of a modern city

____ pts. of 15

Writing Criteria	5 Points	3 Points	1 Point
Content	You provide abundant information about the city you visited, including what you did and saw there, and what you brought back.	You provide some information about the city you visited including what you did and saw there, and what you brought back.	You provide some information about the city you visited, what you did and saw there, and what you brought back.
Communication	All the information in your sentences is organized and can be easily followed.	Most of the information in your sentences is organized and can be easily followed.	Most of the information in your sentences is disorganized and hard to follow.
Accuracy	Your paragraph has few mistakes in grammar and vocabulary.	Your paragraph has some mistakes in grammar and vocabulary.	Your paragraph has many mistakes in grammar and vocabulary.

Examen Unidad 4

> **¡AVANZA!** **Goal:** Demonstrate that you have successfully learned to:
>
> - describe continuing activities in the past
> - narrate past events and activities
> - describe people, places, and things
> - describe early civilizations and their activities
> - describe the layouts of a modern city
> - ask for and give directions
>
> - use past participles as adjectives
> - use the imperfect tense
> - use the preterite and the imperfect
> - use verbs with **i→y** spelling change in the preterite
> - use the preterite of **-car**, **-gar**, and **-zar** verbs
> - use verbs with irregular preterite stems

Escuchar

Test CD 1 Tracks 25, 26

A. Una turista le pide direcciones a Carlos para llegar al Gran Hotel. Escucha su conversación y completa las oraciones siguientes según el diálogo. (5 puntos)

1. El Gran Hotel no está ____.

2. El Gran Hotel está ____.

3. Primero el turista debe caminar ____.

4. Donde hay un semáforo, el turista debe ____.

5. Finalmente, él debe ____ para llegar a su hotel.

B. Ana está en su clase de historia y habla con su profesor. Escucha su conversación y contesta las siguientes preguntas usando oraciones completas. (5 puntos)

1. ¿Quién era Huitzilopochtli?

2. ¿Qué les dijo Huitzilopochtli a los aztecas?

3. ¿Según las leyendas, qué les pasaba a los guerreros aztecas que morían en la batalla?

4. ¿Según el profesor es la cara de Huitzilopochtli en el centro del calendario azteca?

5. ¿Qué son las otras dos teorías sobre la cara en el calendario?

Vocabulario y gramática

C. Para los números 1–9, escribe las palabras o frases según las pistas. Luego, pon en órden las letras encerrados en círculos para descifrar el nombre de una civilización importante. (10 puntos)

1. pasar al otro lado de la avenida

2. lo que quedan hay de los edificios muy antiguos

3. en él están los días del año

4. la hija de un emperador

5. no es tu amigo

6. él pelea en batallas

7. buscar carne para la cena

8. objetos para construir algo

9. casa del emperador

10. **solución: una civilización importante**

D. Identifica los dibujos y escribe una oración para cada uno diciendo si viene de una civilización antigua o moderna. (5 puntos)

1.

2.

3.

4.

5.

E. Completa el párrafo con los verbos apropiados del banco de palabras. Usa el pretérito. (10 puntos)

| leer | almorzar | venir | decir | traer |
| jugar | construir | querer | sacar | buscar |

Fui a visitar unas ruinas en México, pero no **1.** _____ mi libro de arqueología.

Entonces, mi amigo **2.** _____ del hotel a las ruinas para traérmelo. Yo **3.** _____ el

libro de su bolsa y lo **4.** _____. ¿Sabían ustedes que los mayas **5.** _____ todas

estas pirámides sin herramientas modernas? Y también tuvieron canchas

grandes donde **6.** _____ a la pelota. Mi amigo y yo **7.** _____ una cancha entre las

ruinas. Cuando encontramos una, yo le **8.** _____ a mi amigo, «¡Vamos a jugar!»

Pero él no **9.** _____. Prefirió ir a un restaurante. Allí, él **10.** _____.

F. Formar oraciones completas con las palabras siguientes. Usa el verbo en el imperfecto *(imperfect tense)*. (5 puntos)

1. una joven hermosa / vivir / montaña

2. querido amigo / preferir / ciudad

3. ella y su familia / estar / contento

4. él y sus amigos / gustar / moderno

5. él / ir / visitarla

G. Vuelve a escribir el párrafo en el pasado usando el pretérito y el imperfecto apropiadamente. (10 puntos)

1. Una joven azteca llamada Citlali va todos los días al mercado. **2.** Un día, un guerrero la ve. **3.** Él le dice: «Eres hermosa». **4.** Ella contesta: «Gracias». **5.** Pero ella está enamorada de otro guerrero. **6.** Ella regresa a su casa. **7.** El guerrero la busca cada día por meses y meses. **8.** Un día, la encuentra en el palacio del emperador. **9.** Ella lee un libro felizmente con un joven muy guapo. **10.** En ese momento, el guerrero entiende la verdad.

UNIT 4 Unit Test

Leer

Lee los siguientes párrafos sobre el Museo Mural Diego Rivera. Luego, completa las actividades H y I.

Si quieres ver una de las obras más importantes del pintor méxicano Diego Rivera, debes visitar El Museo Mural Diego Rivera en la Cuidad de México. En este museo se expone un mural enorme de Diego Rivera con el título *Sueño de una tarde dominical en la Alameda Central*, pintado por el artista en 1947.

La Alameda Central es un parque verde y tranquilo en el centro de la Ciudad de México, no muy lejos del Zócalo. En los años 40, cuando este mural fue pintado, la Alameda Central era uno de los lugares donde a la gente le gustaba pasear con familiares o amigos los domingos por la tarde. Esta tradición sigue hasta hoy día.

Sueño de una tarde dominical en la Alameda Central fue originalmente pintada para decorar el interior de un hotel cerca de la Alameda Central. Después de los terremotos *(earthquakes)* terribles en septiembre de 1985, decidieron construir un nuevo museo al lado de la Alameda Central para proteger esta obra *(work)* de arte tan importante y famosa.

Si visitas el Museo Mural Diego Rivera, puedes ver *Sueño de una tarde dominical en la Alameda Central*. Representa a los personajes más importantes o significativos en la historia de México caminando por el parque: indígenas, figuras folklóricas, gente pobre y rica de la sociedad mexicana, conquistadores, presidentes—y el artista y su esposa, también.

H. Completa las siguientes oraciones según lo que leíste. (5 puntos)

1. La Alameda Central es _____.

2. *Sueño de una tarde dominical en la Alameda Central* es _____.

3. La obra fue pintada para _____.

4. Decidieron construir un nuevo museo _____.

5. *Sueño de una tarde dominical en la Alameda Central* representa _____.

I. Responde a las siguientes preguntas con oraciones completas. (5 puntos)

1. ¿Dónde se encuentra la Alameda Central?

2. ¿Qué le gustaba hacer a la gente los domingos en la Alameda Central?

3. ¿Dónde se encuentra el Museo Mural Diego Rivera?

4. ¿Cuándo construyeron el Museo Mural Diego Rivera?

5. ¿Por qué?

Cultura

J. Completa las siguientes oraciones. (5 puntos)

1. El Zócalo de la Ciudad de México también se conoce como _____.

2. Los otavaleños son una cultura de _____.

3. Dos ejemplos de la influencia indígena en México son _____.

4. Ixtaccíhuatl y Paricutín son _____.

5. Rodolfo Morales es _____.

K. Da una definición de cada una de las cosas siguientes. (5 puntos)

1. Tenochtitlán

2. náhuatl

3. *El fuego y el tlacuache*

4. quechua

5. ulama

Hablar

L. Háblale a tu profesor de español sobre estas ruinas antiguas. Explica dónde
vivían estas personas, qué hacían y qué tipo de civilización tenían. (15 puntos)

Escribir

M. Escribe tu propia leyenda sobre un guerrero, una princesa, un emperador, o algo diferente. Di:

- quiénes son los personajes
- dónde ocurre
- qué pasa y cómo termina la leyenda.

Escribe tu leyenda en el pasado usando el pretérito y el imperfecto, y usa tu imaginación. (15 puntos)

¡AVANZA! _____ pts. of 100   Nota _____

¡Éxito! You have successfully accomplished all your goals for this unit.

Review: Before moving to the next unit, use your textbook to review:

- ❏ describing continuing activities in the past p. 203
- ❏ narrating past events and activities p. 208
- ❏ describing people, places, and things pp. 198–199
- ❏ describing early civilizations and their activities pp. 222–223
- ❏ describing the layout of a modern city pp. 222–223
- ❏ asking for and giving directions pp. 222–223
- ❏ using past participles as adjectives p. 202
- ❏ using the imperfect tense p. 203
- ❏ using verbs with **i → y** spelling change in the preterite p. 226
- ❏ using the preterite and the imperfect p. 208
- ❏ using the preterite of **-car, -gar,** and **-zar** verbs p. 227
- ❏ using verbs with irregular preterite stems p. 232

Escuchar

A.

1. _____

2. _____

3. _____

4. _____

5. _____

You can:

❑ ask for and give directions

_____ pts. of 5

B.

1. _____

2. _____

3. _____

4. _____

5. _____

You can:

❑ describe early civilization and their activities

❑ narrate past events and activities

_____ pts. of 5

Vocabulario y gramática

C.

1. Ⓞ — — — — —

2. — — — — Ⓞ

3. — — Ⓞ — — — — Ⓞ

4. — — — Ⓞ

5. — — — Ⓞ

6. — — Ⓞ —

7. — Ⓞ

8. — — Ⓞ — — — — Ⓞ — — —

9. — Ⓞ — — — — —

10. Ⓞ Ⓞ Ⓞ Ⓞ Ⓞ Ⓞ Ⓞ Ⓞ Ⓞ Ⓞ

You can:

❑ describe early civilization and their activities

_____ pts. of 10

D.

1. _____
2. _____
3. _____
4. _____
5. _____

> **You can:**
> ❏ describe the layout of a modern city
> ____ pts. of 5

E.

1. _____ 6. _____
2. _____ 7. _____
3. _____ 8. _____
4. _____ 9. _____
5. _____ 10. _____

> **You can:**
> ❏ use the preterite tense
> ____ pts. of 10

F.

1. _____
2. _____
3. _____
4. _____
5. _____

> **You can:**
> ❏ use the imperfect tense
> ____ pts. of 5

G.

1. _____
2. _____
3. _____
4. _____
5. _____
6. _____
7. _____
8. _____
9. _____
10. _____

> **You can:**
> ❏ use the preterite and the imperfect tense
> ____ pts. of 10

Leer

H.

1. _____

2. _____

3. _____

4. _____

5. _____

You can:
- ❑ describe people, places, and things
- ❑ narrate past events and activities

____ pts. of 5

I.

1. _____
_____

2. _____
_____

3. _____
_____

4. _____
_____

5. _____
_____

You can:
- ❑ describe people, places, and things
- ❑ narrate past events and activities

____ pts. of 5

Cultura

J.

1. _____

2. _____

3. _____

4. _____

5. _____

You can:
❑ make a cultural connection to Mexico and Ecuador
____ pts. of 5

K.

1. _____

2. _____

3. _____

4. _____

5. _____

You can:
❑ make a cultural connection to Mexico and Ecuador
____ pts. of 5

Hablar

L.

You can:
❑ narrate past events and activities
❑ describe people, places, and things
❑ describe early civilizations and their activities
____ pts. of 15

Speaking Criteria	5 Points	3 Points	1 Point
Content	All of your responses correspond to the topic, and you provide and demonstrate good use of appropriate vocabulary and grammar studied in this lesson.	Some of your responses correspond to the topic, and you demonstrate sufficient use of appropriate vocabulary and grammar.	Few of your responses correspond to the topic, and you do not demonstrate appropriate use of vocabulary and grammar.
Communication	All the information in your responses can be understood.	Most of the information in your responses can be understood.	Most of the information in your responses is difficult to understand.
Accuracy	Your responses have few mistakes in grammar and vocabulary.	Your responses have some mistakes in grammar and vocabulary.	Your responses have many mistakes in grammar and vocabulary.

Escribir

M.

_____

_____

_____

_____

_____

_____

_____

_____

_____

_____

_____

_____

_____

_____

_____

_____

_____

_____

_____

_____

_____

_____

You can:

❏ describe continuing activities in the past

❏ narrate past events and activities

❏ describe people, places, and things

❏ describe early civilizations and their activities

❏ use the preterite and the imperfect

❏ use additional verbs with irregular preterite stems

____ pts. of 15

Writing Criteria	5 Points	3 Points	1 Point
Content	You provide abundant details and use the preterite and imperfect correctly.	You provide some details and use the preterite and imperfect somewhat correctly.	You provide few details and do not use the preterite and imperfect correctly.
Communication	All of your legend is organized and can be easily followed.	Most of your legend is organized and can be easily followed.	Most of your legend is disorganized and hard to follow.
Accuracy	Your legend has few mistakes in grammar and vocabulary.	Your legend has some mistakes in grammar and vocabulary.	Your legend has many mistakes in grammar and vocabulary.

Examen de mitad de año

¡AVANZA! Goal: Demonstrate that you have successfully learned to:

- discuss travel preparations
- talk about things you do at an airport
- ask how to get around town
- say where you went and what you did on your vacation
- ask information questions
- talk about buying gifts and souvenirs
- talk about sporting events and athletes
- discuss ways to stay healthy
- point out specific people and things
- retell events from the past
- discuss your daily routine
- clarify the sequence of events
- say what you and others are doing right now or intend to do

- talk about clothing, shopping, and personal needs
- say whom things are for
- express opinions
- describe past activities and events
- ask for and talk about items at a marketplace
- express yourself courteously
- describe continuing activities in the past
- narrate past events and activities
- describe people, places and things
- describe early civilizations and their activities
- describe the layout of a modern city
- ask for and give directions

Escuchar

Test CD 1 Tracks 27, 28

A. Escucha lo que le pasó a Héctor ayer. Luego, selecciona la respuesta correcta. (6 puntos)

1. Después de desayunar Héctor _____.
   a. se duchó　　**b.** se afeitó　　**c.** se durmió　　**d.** se puso un suéter

2. Ese día, ¿cómo fue Héctor a la escuela?
   a. en autobús　　**b.** caminando　　**c.** con prisa　　**d.** corriendo

3. ¿Por qué estaba cerrada la escuela ese día?
   a. No había clases.　　**b.** No había autobuses.　　**c.** Era temprano.　　**d.** Era tarde.

B. Escucha el diálogo del viaje de Elena y selecciona la respuesta correcta. (4 puntos)

1. ¿Por qué le gustaba ir a Elena a los mercados?
   a. Le gustaba comprar recuerdos.　　**b.** Le gustaba comprar sandalias.　　**c.** Le gustaba regatear.　　**d.** Le gustaba comprar artesanía hecha a mano.

2. ¿Qué compró Elena en el mercado?
   a. unas artesanías　　**b.** un anillo　　**c.** unas joyas　　**d.** unas joyas y unas sandalias

Vocabulario y gramática

C. Completa las oraciones siguientes con la respuesta más lógica. (4 puntos)

1. Antes de entrenarse en el gimnasio, es importante _____.
   a. secarse el pelo con una toalla
   c. afeitarse
   b. maquillarse
   d. ponerse el desodorante

2. Antes de acostarse, ella _____.
   a. se ducha y se maquilla
   c. se cepilla los dientes y se lava la cara
   b. se arregla y se pone la ropa
   d. apaga la luz y se duerme

3. Cuando tengo sueño, _____.
   a. me levanto muy temprano
   c. me duermo muy lentamente
   b. me acuesto más temprano
   d. voy al gimnasio para entrenarme

4. Generalmente, cuando él tiene prisa, _____.
   a. se baña, come el desayuno y se arregla
   c. se seca el pelo con el secador de pelo
   b. se ducha rápidamente y se seca el pelo con una toalla
   d. se levanta rápidamente y se arregla lentamente

D. Lee las oraciones siguientes y selecciona la respuesta más lógica. (8 puntos)

1. Mira, sólo pagué $15 por estas botas en un almacén en San Juan.
   a. ¿Regateaste por un precio más alto?
   b. Me gustan. ¿Las compraste en una zapatería?
   c. ¡Es una ganga! Las que tengo yo me costaron $45.
   d. En mi opinión, el traje no te queda bien. ¿Es de la talla correcta?

2. ¿Cómo me queda este traje? ¿Lo compro para la fiesta el sábado?
   a. En mi opinión, es bueno ir de compras con un amigo.
   b. Me parece que las sandalias te quedan apretadas.
   c. Te queda bien, pero necesitas un cinturón.
   d. Es mala idea vestirte en ropa que no está de moda.

3. Disculpe señora. ¿Me deja ver _____ de piedra y _____ de plata también?
   a. esas pulseras/aquellas
   b. esos collares/aquéllos
   c. estos cinturones/ésas
   d. éstas joyas/aquellas

4. Con permiso. Busco un regalo para mi amiga y no quiero pagar mucho. ¿Me puede ayudar?
   a. Sí, tengo pinturas únicas. No hay otras como éstas.
   b. Con mucho gusto. Tengo aquí unas joyas de oro muy finas, pero son un poco caras.
   c. Estos artículos de cerámica están hechos a mano. Aquéllos, no.
   d. Con mucho gusto, señor. Estas pulseras de piedra son muy baratas. Le doy una por $2.

E. Héctor le cuenta a un amigo lo que le pasó a su familia en el aeropuerto y en el avión. Completa las oraciones siguientes seleccionando la respuesta correcta. (8 puntos)

1. Cuando llegamos al aeropuerto, tuvimos que hacer cola con los boletos y la identificación para _____.
   a. hablar con la agente de viajes y comprar un boleto para el viaje
   b. mirar la pantalla y ver cuando salía el vuelo
   c. facturar el equipaje y recibir la tarjeta de embarque
   d. buscar las maletas en el reclamo de equipaje

2. Entonces, cuando _____ papá tuvo problemas con una llave de metal que traía.
   a. pasaba por la aduana
   b. pasaba por seguridad
   c. buscaba las maletas en el reclamo de equipaje
   d. confirmaba el vuelo

3. Luego, yo perdí mi _____ y no pude _____ el vuelo con mi familia.
   a. identificación/facturar
   b. traje de baño/ hacer
   c. pasaporte/confirmar
   d. tarjeta de embarque/abordar

4. Más tarde, tuve que llamar _____ porque dormía cuando trajeron comida.
   a. al auxiliar de vuelo
   b. un taxi
   c. al agente de viajes
   d. la oficina de turismo

F. Alberto le hace preguntas a su amigo sobre su viaje a Puerto Rico. Lee las preguntas y selecciona la respuesta correcta. (10 puntos)

1. ¿Viste a tus abuelos que viven en San Juan? ¿Hablaste con ellos en español?
   a. Sí, les vi y les hablé en español mucho.
   b. Sí, los vi y les hablé en español mucho.
   c. Sí, los vi y los hablé en español mucho.
   d. Sí, les vi y me hablé en español mucho.

2. ¿Te preparó tu abuela comida puertorriqueña? ¿Te gustó?
   a. Sí, ella hizo muchos platos y me gustó todos.
   b. Sí, ella hace muchos platos y me gustó todos.
   c. Sí, ella hizo muchos platos y me gustaron todos.
   d. Sí, ella hice muchos platos y me gustaron todos.

3. ¿Fuiste al mercado del aire libre a comprar recuerdos para tus padres?
   a. ¡Claro! Les compraron unas artesanías.
   b. ¡Claro! Los compré unas artesanías.
   c. ¡Claro! Me compraron unas artesanías.
   d. ¡Claro! Les compré unas artesanías.

4. ¿Que hicieron tu y tu hermana con su tiempo libre?
   a. Yo fui a pescar y mi hermana monté a caballo.
   b. Yo fui a pescar y mi hermana montó a caballo.
   c. Yo fue a pescar y mi hermana montaste a caballo.
   d. Yo fue a pescar y mi hermana montó a caballo.

5. ¿Tienes fotos del viaje? Me gustaría verlas.
   a. Tomé fotos pero no los tengo. ¡Perdió mi cámara!
   b. Tomé fotos, pero no las tengo. ¡Perdí mi cámara!
   c. Tomó fotos pero no las tengo. ¡Perdió mi cámara!
   d. Tomaste fotos, pero no los tengo. ¡Perdí mi cámara!

G. Pablo llama a su amiga Elena para invitarla a ir al centro. Lee el diálogo y selecciona la letra con la respuesta correcta. (10 puntos)

1. **Pablo:** Hola, Elena, soy Pablo. ¿Qué estás _____? _____ ir al centro hoy. ¿Quieres venir conmigo?
   a. haces/tengo
   b. hiciste/piensas
   c. haciendo/pienso
   d. haciendo/piensas

2. **Elena:** Me encantaría, pero no puedo. _____ que estudiar en la biblioteca. Voy con Julia. ¿Quieres venir con _____?
   a. Tengo/nosotras
   b. Hago/ellas
   c. Pienso/Uds.
   d. Salgo/nosotros

3. **Pablo:** ¿Quién es Julia? Creo que no _____.
   a. conozco ella
   b. sé a ella
   c. conozco a ella
   d. la sé

4. **Elena:** Es mi amiga de la clase de ciencias. Ella _____ a mi fiesta de cumpleaños y tú le _____ su número de teléfono.
   a. estuvo/pidió
   b. vine/tuviste
   c. hizo/tuvo
   d. vino/pediste

5. **Pablo:** Sí, tienes razón. ¡Me encantaría ver____! Y hoy, yo le _____ a ella mi número!
   a. le/hago
   b. la/doy
   c. lo/pongo
   d. ella/traigo

Leer

H. Lee la siguiente leyenda guaraní sobre el mate y contesta la preguntas seleccionando la letra con la respuesta correcta. (10 puntos)

En regiones de Argentina, Uruguay, Paraguay y Brasil viven los guaraníes, un grupo indígena. Hay una antigua leyenda guaraní sobre los orígenes de la yerba mate, una planta usada para preparar una bebida tradicional similar al té verde. Hoy esta bebida forma parte integral de la cultura moderna de estos países.

Según una versión de la leyenda, había una vez una joven hermosa que vivía con su padre viejo en la selva (*jungle*), muy lejos de otras personas de su tribu. Ellos eran agricultores nómadas, y cada año tenían que cambiar de lugar para cultivar la comida. El viejo ya no era fuerte y no podía seguir a los otros. Un día, cuando su hija pescaba y buscaba frutas para los dos, un hombre que no conocían llegó a su casa. El viejo y su hija lo recibieron generosamente, le dieron de comer y le prepararon una cama para pasar la noche allí. Al día siguiente, el hombre les dijo que era en verdad Tupá, el gran dios guaraní. Por su hospitalidad Tupá les regaló al viejo y a su hija una planta nueva con grandes poderes (*powers*) y les enseñó cómo preparar una bebida de la planta. Cuando el viejo la bebió, le dio fuerza (*strength*) y pudo regresar a su tribu. Años después, cuando el viejo murió, su hija se transformó en una diosa, la diosa del mate.

1. La bebida preparada de la yerba mate _____.
   a. es especial porque puede transformarse a una persona
   b. es una bebida saludable similar a la leche
   c. es típica en muchos regiones de Sudamérica
   d. es una leyenda, ya no la toman

2. Tupá era _____.
   a. un hombre viejo que vivía con su hija en la selva
   b. un tribu de agricultores guaraníes
   c. un dios que llevaba una planta especial
   d. una chica hermosa

3. El viejo no podía seguir a su tribu porque _____.
   a. él tenía que buscar comida para su familia
   b. no sabía adónde fueron
   c. ya no era muy fuerte
   d. Tupá llegó a su casa con una planta especial

4. El dios les regaló al hombre y a su hija la planta de la yerba mate porque _____.
   a. su hija era hermosa
   b. le recibieron con hospitalidad
   c. el hombre era muy fuerte
   d. la joven era diosa

5. Después de beber el mate, _____.
   a. el viejo tuvo fuerza para buscar su tribu
   b. un hombre que era en verdad un dios llegó a su casa
   c. el viejo murió
   d. la hija se transformó en diosa

Nombre _____ Clase _____ Fecha _____

Cultura

I. Completa las oraciones siguientes sobre la cultura latinoamericana con la respuesta correcta. (5 puntos)

1. Durante la Navidad _____ son una tradición en Puerto Rico.
   a. los timbaleros
   b. los vejigantes
   c. las parrandas
   d. los cantos deportivos

2. En el barrio de *La Boca* en Buenos Aires, puedes ver a personas bailando _____.
   a. La cumbia
   b. La bomba
   c. El tango
   d. La guelaguetza

3. La antigua capital de la civilización zapoteca, _____, está en Oaxaca, México.
   a. Tula
   b. Teotihuacán
   c. Chichen Itzá
   d. Monte Albán

4. _____ es donde vive el gaucho argentino.
   a. La Patagonia
   b. La Pampa
   c. El Morro
   d. Tula

5. El Popocatépetl y el Ixaccíhuatl son dos _____.
   a. idiomas indígenas de Sudamérica
   b. volcanes famosos de México
   c. guerreros de una leyenda histórica
   d. antiguas civilizaciones avanzadas

J. Completa las oraciones seleccionando la respuesta correcta. (5 puntos)

1. Inglés es una de las dos idiomas oficiales de _____.
   a. Costa Rica
   b. Puerto Rico
   c. México
   d. Argentina

2. La frase **pura vida** _____.
   a. es una parte importante del canto deportivo de Real Madrid
   b. es un canto popular de los vejigantes
   c. es cómo expresa Mafalda su opinión
   d. expresa la identidad de los Ticos

3. Del náhuatl, la lengua de los aztecas, vienen palabras como _____:
   a. guagua y llama
   b. papa y alpaca
   c. chocolate y tomate
   d. ciudad y plaza

4. Una artesanía que se identifica con Puerto Rico es _____.
   a. la casita de cerámica
   b. el sombrero del gaucho
   c. la mola
   d. la carreta de madera

5. En Costa Rica, puedes visitar _____.
   a. ruinas de las civilizaciones aztecas
   b. la región de la Patagonia para ver glaciares
   c. edificios españoles de los siglos XVI al XIX
   d. volcanes, playas y aguas termales

Hablar

K. Dile a tu profesor lo que hacías cuando tenías 10 años. (15 puntos)

1. ¿A·qué escuela ibas cuando tenías 10 años? ¿Qué hacías en la escuela? ¿Qué te gustaba de esta escuela?

2. ¿Qué hacías los fines de semana?

3. ¿Quién era tu mejor amigo(a)? Descríbelo(la).

4. ¿Qué programas veías en la televisión? ¿Eran divertidos?

5. Describe un evento interesante que pasó ese año. ¿Hiciste una cosa interesante?

MIDTERM EXAM

Escribir

L. Escribe un párrafo sobre tus últimas vacaciones. Di adónde fuiste y con quién. Explica cómo fuiste (avión, coche, etc.) y qué hiciste (qué visitaste, qué compraste, etc.). Usa el pretérito y vocabulario y gramática de las unidades 1 a 4. (15 puntos)

¡AVANZA! _____ pts. of 100   Nota _____

¡Éxito! You have successfully accomplished all your goals for Units 1–4.

Review: Before moving to the next unit, use your textbook to review:

❏ discussing travel preparations pp. 36–37

❏ talking about things you do at an airport pp. 36–37

❏ asking how to get around town pp. 36–37

❏ saying where you went and what you did on your vacation pp. 60–61

❏ asking information questions p. 64

❏ talking about buying gifts and souvenirs pp. 60–61

❏ talking about sporting events and athletes pp. 90–91

❏ discussing ways to stay healthy pp. 90–91

❏ pointing out specific people and things p. 100

❏ retelling events from the past p. 95

❏ discussing your daily routine pp. 114–115

❏ clarifying the sequence of events pp. 114–115

❏ saying what you and others are doing right now or intend to do pp. 118, 124

❏ talking about clothing, shopping and personal needs pp. 144–145

❏ saying whom things are for p. 154

❏ expressing opinions p. 148

❏ describing past activities and events p. 173

❏ asking for and talking about items at a marketplace pp. 168–169

❏ expressing yourself courteously pp. 168–169

❏ describing continuing events in the past p. 203

❏ narrating past events and activities p. 208

❏ describing people, places and things pp. 198–199

❏ describing early civilizations and their activities pp. 222–223

❏ describing the layout of a modern city pp. 222–223

❏ asking for and giving directions pp. 222–223

Escuchar

A.

1. a   b   c   d

2. a   b   c   d

3. a   b   c   d

> **You can:**
> ❏ discuss your daily routine
> ❏ use reflexive pronouns
> ____ pts. of 6

B.

1. a   b   c   d

2. a   b   c   d

> **You can:**
> ❏ say where you went and what you did on your vacation
> ____ pts. of 4

Vocabulario y gramática

C.

1. a   b   c   d

2. a   b   c   d

3. a   b   c   d

4. a   b   c   d

> **You can:**
> ❏ discuss your daily routine
> ____ pts. of 4

D.

1. a b c d
2. a b c d
3. a b c d
4. a b c d

You can:
❑ talk about buying things and souvenirs
❑ use preterite tense
❑ use demonstrative adjectives and pronouns

____ pts. of 8

E.

1. a b c d
2. a b c d
3. a b c d
4. a b c d

You can:
❑ talk about things you do at an airport

____ pts. of 8

F.

1. a b c d
2. a b c d
3. a b c d
4. a b c d
5. a b c d

You can:
❑ use direct and indirect object pronouns
❑ use preterite tense

____ pts. of 10

G.

1. a b c d
2. a b c d
3. a b c d
4. a b c d
5. a b c d

You can:
❑ use personal **a**
❑ use present progressive
❑ use pronouns after prepositions
❑ use present tense of irregular **yo** verbs
❑ use preterite of irregular verbs

____ pts. of 10

Leer

H.

1. a b c d
2. a b c d
3. a b c d
4. a b c d
5. a b c d

You can:
❑ describe early civilizations and their activities

____ pts. of 10

Cultura

I.

1. a b c d
2. a b c d
3. a b c d
4. a b c d
5. a b c d

You can:
❑ make a cultural connection to Costa Rica, Argentina, Puerto Rico, and Mexico

____ pts. of 5

Nombre _____ Clase _____ Fecha _____

J.

1. a   b   c   d

2. a   b   c   d

3. a   b   c   d

4. a   b   c   d

5. a   b   c   d

> **You can:**
> ❏ make a cultural connection to Costa Rica, Argentina, Puerto Rico, and Mexico
>
> ____ pts. of 5

Hablar

K.

> **You can:**
> ❏ use the imperfect tense
>
> ____ pts. of 15

Speaking Criteria	5 Points	3 Points	1 Point
Content	All of your responses correspond to the questions and you provide and demonstrate good use of appropriate vocabulary and grammar.	Some of your responses correspond to the questions and you demonstrate sufficient use of appropriate vocabulary and grammar.	Few of your responses correspond to the topic and you do not demonstrate appropriate use of vocabulary and grammar.
Communication	All the information in your responses can be understood.	Most of the information in your responses can be understood.	Most of the information in your responses is difficult to understand.
Accuracy	Your responses have few mistakes in grammar and vocabulary.	Your responses have some mistakes in grammar and vocabulary.	Your responses have many mistakes in grammar and vocabulary.

Nombre _____ Clase _____ Fecha _____

Escribir

L.

_____

_____

_____

_____

_____

_____

_____

_____

_____

_____

_____

_____

_____

_____

_____

_____

_____

You can:
❑ talk about your last vacation
❑ use the preterite tense
___ pts. of 15

Writing Criteria	5 Points	3 Points	1 Point
Content	You provide abundant information about your vacation.	You provide some information about your vacation.	You provide very little information about your vacation.
Communication	All the information in your sentences is organized and can be easily followed.	Most of the information is organized and can be easily followed.	Most of the information in your sentences is disorganized and hard to follow.
Accuracy	Your paragraph has few mistakes in grammar and vocabulary.	Your paragraph has some mistakes in grammar and vocabulary.	Your paragraph has many mistakes in grammar and vocabulary.

Examen Lección 1

¡AVANZA! **Goal:** Demonstrate that you have successfully learned to:

- identify and describe ingredients
- talk about food preparation and follow recipes
- give instructions and make recommendations
- use adjectives ending in **-ísimo**
- use **usted/ustedes** commands
- use the correct placement of pronouns with commands

Escuchar

Test CD 2 Tracks 1, 2

A. Escucha esta receta que del famoso chef Pepe Machado. Luego completa las oraciones según lo que dice Pepe. (6 puntos)

1. Según el chef, esta receta es _____.

2. Esta ensalada se hace con _____ fresca.

3. La ensalada necesita 8 _____.

4. La ensalada tiene pimienta, pero no tiene _____.

5. Esta ensalada necesita 2 _____ y una cebolla.

6. Debes _____ el aceite con los otros ingredientes.

B. La madre de Paqui necesita algunas cosas del supermercado y le pide a Paqui ir por estas cosas. Escucha el diálogo y después contesta las preguntas en oraciones completas. (4 puntos)

1. ¿Qué necesita la madre de Paqui para la cena?

2. ¿Qué va a hacer con las patatas?

3. ¿Qué debe comprar Paqui para la ensalada?

4. ¿Adónde va Paqui a comprar el postre y el pan?

Vocabulario y gramática

C. Álvaro explica a Paqui los distintos sabores que le gusta comer. Completa las oraciones con la forma apropiada de las palabras de la caja. (6 puntos)

asco	ajo	dulce	agrio	picante	salado

Hay muchos sabores que me gustan, y muchos que no me gustan también. De los sabores

que me gustan, las fresas son **1.** ____ y las papas fritas son **2.** ____ . La mostaza tiene un

sabor **3.** ____ que me encanta. ¿Qué sabores no me gustan? Bueno, los limones son muy

4. ____ . Y el sabor del **5.** ____ es el más fuerte de todos. ¡Uy! ¿Qué **6.** ____?

D. ¿Qué dice Álvaro y Paquí de la comida que preparó Mamá? Escribe oraciones para completar el diálogo. (5 puntos)

> **Mamá:** Álvaro, ¿qué te parece la cena?

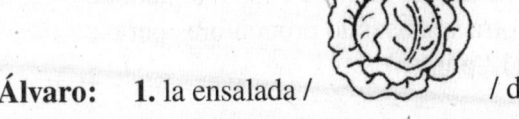

> **Álvaro:** **1.** la ensalada / ____ / delicioso
>
> **Mamá:** ¡Qué bueno! ¿Y la sopa?

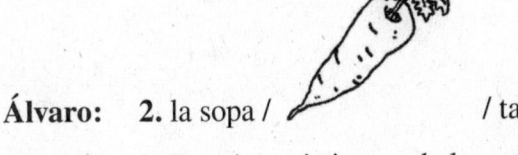

> **Álvaro:** **2.** la sopa / ____ / también / sabroso
>
> **Mamá:** Y Paquí, ¿qué piensas de la carne?

> **Paquí:** **3.** la carne / necesitar / ____
>
> **Álvaro:** **4.** yo / preferir / ponerle / 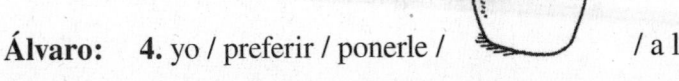 / a la carne
>
> **Mamá:** Bueno, después vamos a comer un rico postre. Es su favorito.

> **Álvaro:** **5.** ¿ser / un pastel / 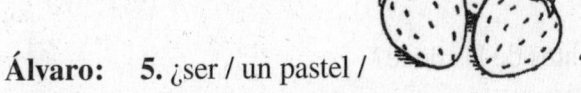 ?
>
> **Mamá:** Sí, lo hice hoy de mañana especialmente para ustedes.

E. A Jorge, le gusta hablar con mucha emoción. Completa las oraciones que él dice con las palabras de la caja y cámbialas usando las terminaciones **-ísimo(a, os, as).** (5 puntos)

fresco	feliz	rico	largo	picante

1. Aquí hacen los mejores churros de España. Son _____.

2. Tenemos que hacer cola para entrar el café. Uy, la cola es _____.

3. Debes pedir la ensalada. Me parece _____.

4. ¡Uy! Me duele la boca. Esta salsa mexicana está _____.

5. ¡Qué bueno! ¡Me encantan los postres de fresas con chocolate! Estoy _____.

F. Luisa está enseñando a su tía cómo hacer su ensalada favorita. Escribe las instrucciones usando mandatos en forma de **usted.** Escribe cada mandato dos veces: una vez con los objetos directos y otra vez usando pronombres para reemplazar el objeto directo o indirecto. (12 puntos)

no cortar	batir	añadir	mezclar	empezar	no poner

1. la ensalada

2. la lechuga

3. los tomates

4. la cebolla

5. el vinagre con el aceite

6. sal y pimienta

G. Es la primera vez que Álvaro sale a una fiesta por la y sus padres están preocupados (*worried*). Lee sus preguntas a Álvaro y escribe la respuesta de Álvaro con un mandato en la forma de **usted** o **ustedes** según la pregunta. (12 puntos)

1. ¿Te esperamos para cenar?

2. ¿Digo a tus amigos adonde fuiste si llaman?

3. ¿Cómo te llamamos si hay un problema?

4. ¿Nos acostamos antes de las doce?

5. ¿Apagamos las luces si no llegas antes de las doce?

6. Es primera vez que sales muy de noche. No sé, ¿eres responsable?

Leer

Lee los siguientes párrafos sobre el origen de las yemas de Ávila. Luego haz los ejercicios H e I.

¿Qué es una yema? Es la parte amarilla o anaranjada del huevo. Pero las yemas también son una comida dulce de color amarillo o anaranjado que son parecidas (*similar*) a la propia yema del huevo. Son pequeñas, redondas e irregulares y casi siempre son hechas a mano. Las yemas son una especialidad de la ciudad española de Ávila.

No sabemos, exactamente, de dónde vinieron las yemas pero existen varias teorías. Algunos dicen que es una receta del siglo XVI y que viene de alguno de los monasterios de la ciudad de Ávila. Otros creen que hace 130 años comenzó a hacerlos Don Isabelo Sánchez, dueño de una de las pastelerías de Ávila que aún existe hoy y que hace y vende estos dulces.

Se hacen las yemas con muy pocos ingredientes: yemas de huevo, azúcar, agua, canela y limón. Su textura interior es suave y delicada, y el exterior es un poco mas duro y crujiente. Si vas a Ávila, vas a ver estos dulces amarillos en casi todas las pastelerías de la ciudad.

H. Lee las siguientes oraciones. Haz un círculo en la letra C, si la oración es cierta. Si la oración es falsa, haz un círculo en la letra F. Si la oración es falsa, entonces la debes corregir. (4 puntos)

1. Yema es otra palabra que quiere decir huevo.

2. Las yemas son una especialidad de la ciudad española de Sevilla.

3. Hacen las yemas en todos los monasterios de Ávila.

4. Necesitas muchos ingredientes para hacer yemas.

I. Contesta las siguientes preguntas con oraciones completas, basadas en la lectura. (6 puntos)

1. ¿Qué son las yemas? ¿Cómo son las yemas?

2. ¿Qué ingredientes hay en la receta para las yemas?

3. ¿Tienen las yemas un sabor agrio? ¿Cómo lo sabes?

Cultura

J. Escribe la siguiente información sobre España usando oraciones completas. (5 puntos)

1. ¿Cuál es la capital de España?

2. ¿Cuáles son dos idiomas que hablan en España?

3. ¿Cuáles son dos comidas típicas españolas?

4. ¿Quién es un famoso arquitecto español?

5. ¿Cuál es la moneda que usan en España?

K. Completa las siguientes oraciones basadas en las secciones culturales que estudiaste sobre España. (5 puntos)

1. Granada y Sevilla son ____.

2. El Greco fue ____ y vivió en ____.

3. Pablo Neruda fue ____. Escribió ____.

4. Una naturalez muerta es ____ de objetos como ____.

5. Las tapas son ____.

Hablar

L . Explica a tu maestro(a) cómo preparar una tortilla de patatas. Usa los dibujos y las preguntas para ayudarte. Debes usar mandatos de **usted** en tus instrucciones. (15 puntos)

1. ¿Cuáles son los ingredientes que necesitas?

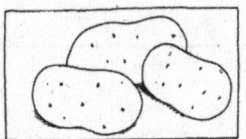 

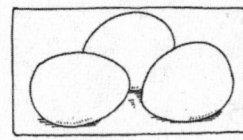 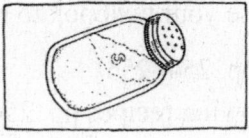

2. ¿Cómo preparas la tortilla?

   - cortar
   - freir
   - batir
   - mezclar
   - poner en una sartén con aceite
   - cocinar

3. ¿Qué otros ingredientes puedes añadir?

4. ¿Cómo sirves la tortilla?

Escribir

M. Escribe unos párrafos sobre la comida que te gusta. Debes mencionar:

- los sabores que te gustan
- las comidas que prefieres
- las comidas que no te gustan o que te dan asco
- las comidas que sabes preparar (15 puntos)

¡AVANZA! _____ pts. of 100   Nota _____

¡Éxito! You have successfully accomplished all your goals for this lesson.

Review: Before moving to the next lesson, use your textbook to review:

- ❏ identifying and describing ingredients pp. 254–255
- ❏ talking about food preparation and following recipes pp. 254–255
- ❏ giving instructions and making recommendations p. 259
- ❏ using adjectives ending in **-ísimo** p. 258
- ❏ using **usted/ustedes** commands p. 259
- ❏ using the correct placement of pronouns with commands p. 264

Escuchar

A.

1. _____
2. _____
3. _____
4. _____
5. _____
6. _____

You can:
- ❏ identify and describe ingredients
- ❏ talk about food preparation and follow recipes

____ pts. of 6

B.

1. _____

_____

2. _____

_____

3. _____

_____

4. _____

_____

You can:
- ❏ identify and describe ingredients

____ pts. of 4

Vocabulario y gramática

C.

1. _____
2. _____
3. _____
4. _____
5. _____
6. _____

You can:
- ❏ identify and describe ingredients

____ pts. of 6

D.

1. _____

_____

2. _____

_____

3. _____

_____

4. _____

_____

5. _____

You can:

❑ identify and
describe ingredients

____ pts. of 5

E.

1. _____   4. _____

2. _____   5. _____

3. _____

You can:

❑ use adjectives
ending in **-ísimo**

____ pts. of 5

F.

1. _____

2. _____

3. _____

_____

4. _____

_____

5. _____

_____

6. _____

_____

You can:

❑ use **usted** and
ustedes commands

____ pts. of 12

G.

1. _____

_____

2. _____

_____

3. _____

_____

4. _____

_____

5. _____

_____

6. _____

_____

> **You can:**
> ❑ use **usted** and **ustedes** commands
>
> ____ pts. of 12

H.

1. C   F

_____

2. C   F

_____

3. C   F

_____

4. C   F

_____

> **You can:**
> ❑ talk about food preparation and follow recipes
>
> ____ pts. of 4

I.

1. _____

_____

2. _____

_____

3. _____

_____

> **You can:**
> ❑ talk about food preparation and follow recipes
>
> ____ pts. of 6

Cultura

J.

1. _____

2. _____

3. _____

4. _____

5. _____

> **You can:**
> ❏ make a cultural connection to life in Spain
>
> ____ pts. of 5

K.

1. _____

2. _____   _____

3. _____   _____

4. _____

5. _____

> **You can:**
> ❏ make a cultural connection to life in Spain
>
> ____ pts. of 5

Hablar

L.

> **You can:**
> ❏ identify and describe ingredients
> ❏ talk about food preparation and follow recipes
> ❏ give instructions and make recomendations
> ❏ use **usted** and **ustedes** commands
> ❏ use the correct placement of pronouns with commands ____ pts. of 15

Speaking Criteria	5 Points	3 Points	1 Point
Content	You provide and demonstrate good use of appropriate vocabulary and grammar points studied in this lesson.	Some of your responses correspond to the questions and you demonstrate sufficient use of appropriate vocabulary and grammar points.	Few of your responses correspond to the topic and you do not demonstrate appropriate use of vocabulary and grammar uses.
Communication	All the information in your responses can be understood.	Most of the information in your responses can be understood.	Most of the information in your responses is difficult to understand.
Accuracy	Your responses have few mistakes in grammar and vocabulary.	Your responses have some mistakes in grammar and vocabulary.	Your responses have many mistakes in grammar and vocabulary.

Nombre _____ Clase _____ Fecha _____

Escribir

M.

_____

_____

_____

_____

_____

_____

_____

_____

_____

_____

_____

_____

_____

_____

_____

You can:
- ❏ indentify and describe ingredients
- ❏ talk about food preparation
- ❏ write about preferences of food

____ pts. of 15

Writing Criteria	5 Points	3 Points	1 Point
Content	You provide abundant information about food and preference of taste and flavors.	You provide some information about food and preference of taste and flavors.	You provide very little information about food and preference of taste and flavors.
Communication	All the information in your sentences is organized and can be easily followed.	Most of the information is organized and can be easily followed.	Most of the information in your sentences is disorganized and hard to follow.
Accuracy	Your paragraph has few mistakes in grammar and vocabulary.	Your paragraph has some mistakes in grammar and vocabulary.	Your paragraph has many mistakes in grammar and vocabulary.

Examen Lección 2

> **¡AVANZA!** **Goal:** Demonstrate that you have successfully learned to:
>
> - order meals in a restaurant
> - talk about meals and dishes
> - describe food and service
> - use affirmative and negative words
> - use double object pronouns

Escuchar

Test CD 2 Tracks 3, 4

A. Escucha lo que le pasa a Sue, una chica estadounidense. Después de escuchar la conversación completa las siguientes oraciones. (4 puntos)

1. Sue quiere practicar _____ en un restaurante.

2. Sue está pensando en comer _____ en este restaurante.

3. La especialidad de la casa es _____.

4. Sue pide _____.

B. Sue y dos amigos están en un típico restaurante español. Contesta las siguientes preguntas sobre su conversación usando oraciones completas. (6 puntos)

1. ¿Qué plato recomienda Álvaro? ¿Luego qué pide Sue?

2. ¿Qué piden ellos para beber? ¿Qué piden de entremés?

3. ¿Qué postres piden ellos?

Vocabulario y gramática

C. Esta noche unos amigos salen a cenar. Completa su conversación con la palabra apropiada. (10 puntos)

Camarero:	Buenas noches, pasen por aquí. Esta mesa cerca de la ventana.
Ángela:	Muy **1.** _____. Gracias por atendernos.
Camarero:	Aquí tenéis el menú. Les doy un momento para pensar.
José:	Sue, te gusta la carne, ¿no? Entonces te recomiendo el **2.** _____ a la parrilla. Aquí lo preparan riquísimo.
Sue:	¡Excelente! Y quiero un **3.** _____ como **4.** _____. Ésa sopa fría de verduras me encanta.
Paqui:	Pues, yo tengo mucha hambre. Quiero el **5.** _____ asado con patatas fritas y una ensalada.
José:	Bien. Y tú Ángela, ¿qué quieres?
Ángela:	Yo estoy a dieta. Sólo quiero sopa y verduras. Quiero pedir el **6.** _____ de pollo y el plato **7.** _____
José:	Yo voy a pedir las **8.** _____ de cerdo y espaguetis con tomate.
Paqui:	Para el postre, ¿por qué no vamos a la **9.** _____ "¡Qué rico!"? Allí venden unos helados exquisitos.
Ángela:	Buena idea. Y al lado de "¡Qué rico!" también hay una **10.** _____ que tiene unas tartas deliciosas.

D. Clara está ayudando a John con a poner la mesa. Completa su descripción. (5 puntos)

A la izquierda del plato, hay **1.** _____ que es para comer comidas como arroz o

espaguetis. Un poco más a la izquierda hay **2.** _____ que es para limpiarnos la

boca después de comer. A la derecha del plato hay **3.** _____ para cortar la

comida. Y ésta es **4.** _____ para tomar la sopa. Por fin, debes poner **5.** _____ para

el agua.

E. Contesta las preguntas con oraciones completas. (10 puntos)

1. ¿Qué comida típica española te gusta más?

2. ¿Conoces a alguien que trabaja en un restaurante? ¿Qué hace?

3. ¿Cuándo les preparas un plato especial a tus padres? ¿Cuál es su plato favorito?

4. ¿Te gustaría comer tapas antes de una comida? ¿Por qué?

5. ¿Cuál es tu restaurante favorito y por qué?

F. Siempre dices lo contrario (*opposite*) de lo que te preguntan. Responde a las siguientes preguntas usando la palabra negativa o afirmativa apropiada. (7 puntos)

1. ¿Quieres ver alguna película?

2. ¿Quieres salir con alguien esta tarde?

3. ¿Qué quieres hacer entonces, ver un programa en la tele o jugar al monopolio?

4. ¿Quieres salir con algún amigo?

5. ¿Siempre estás de mal humor?

6. ¿No quieres comer nada?

7. ¿Nunca quieres salir conmigo?

G. Tus padres de tú y tus hermanos van a ir a su casa de campo y preguntan si quieren algo de allí. Responde con un mandato con ustedes, usando los pronombres del complemento indirecto y directo (double object pronouns). Escribe oraciones completas. (8 puntos)

1. ¿Les traemos frutas del campo a ellos?

2. Sabemos que te gustan mucho las fresas. ¿Te las compramos?

3. ¿Le pedimos a Luisa un flan?

4. Yo también quiero flan. ¿Podemos pedir uno para mí?

5. ¿Le traemos una torta de chocolate a Sue? Es muy rica.

6. ¿Le traemos un regalo al tío?

7. ¿Le damos las fotos del viaje a nuestros amigos?

8. ¿Le decimos a Jorge que Sue llegó?

Leer

Lee los párrotos sobre dos restaurantes de madrid. Luego, completa las actividades H e I.

La Carreta, un restaurante madrileño, abrió sus puertas a finales del siglo diecinueve, pero sigue fiel a sus tradiciones de comida casera y de servicio atento y amable. Sigue ofreciendo el mismo cocido madrileño cocinado al fuego lento tal y como se cocinaba hace muchos años. No olvidemos tampoco los otros deliciosos platos que podemos probar en este restaurante: carnes, pescados, y su postre famoso, los buñuelos de manzana. Sus clientes, como en el siglo pasado, están acostumbrados a ver las aceras llenas de gente que entra y sale del restaurante. Si no quiere esperar o quedarse sin mesa, siempre puede reservar. Tampoco es raro ver a algún personaje famoso comer en la mesa de al lado: un futbolista, un torero, algún cantante o actor.

Otro restaurante ubicado en el centro de Madrid que también ofrece comida madrileña es Las Cuevas de Luís Candelas. Se encuentra en un edificio antiguo que anteriormente ha side la guarida del célebre bandido del mismo nombre. El lugar de pasadizos angostos que van debajo de la Plaza Mayor se conserva en gran parte tal y como fue usado por Candelas durante las décadas de 1820 y 1830. Hoy este histórico local lo ocupa el restaurante Las Cuevas de Luis Candelas. Se especializa en comida típica madrileña como los asados de cordero o de cochinillo en horno de leña. Otras especialidades del menú son caracoles a la madrileña, sopa de ajo, y merluza Candelas. Las Cuevas de Luis Candelas es un lugar clásico, acogedor y confortable. Hay música en vivo y para mantener el ambiente histórico los camareros se visten con trajes de la época.

H. Completa las siguientes oraciones según el párrafo. (6 puntos)

1. Según el párrafo, el cocido madrileño es _____ del restaurante La Carreta.

2. En La Carreta, el cocido está preparado _____ .

3. Si no quiere comer cocido, también hay _____ .

4. El restaurante Las Cuevas de Luis Candelas está en un edificio _____ .

5. Dos especialidades de la casa de Las Cuevas de Luis Candelas son _____ .

6. Otra atracción del restaurante Las Cuevas es _____ .

I. Contesta las siguientes preguntas usando oraciones completas. (4 puntos)

1. Compara la comida que ofrece La Carreta con la que ofrece Las Cuevas de Luis Candelas. ¿Es parecida o diferente? ¿Por qué?

2. ¿Cuál de los dos restaurantes te interesa más visitar? ¿Por qué?

Cultura

J. Completa las siguientes oraciones. (4 puntos)

1. El restaurante "Sobrino de Botín" es el restaurante más _____ de Madrid.

2. María Blanchard es una _____.

3. El gazpacho es una sopa hecha con tomates y _____.

4. En España, el almuerzo es una comida _____.

K. Contesta estas preguntas usando oraciones completas. (6 puntos)

1. ¿Qué es el cocido?

2. ¿Generalmente, a qué hora se cena en Madrid?

3. ¿Cuáles son las comidas básicas de la región de Montevideo?

Hablar

L. Tú entras en un restaurante en Madrid. Tu profesor es el camarero y tú eres el cliente. Mira el menú y conesta las preguntas. (15 puntos)

1. ¿Qué le puedo traer?

2. ¿Qué va a pedir? ¿Cómo lo quiere?

3. ¿Quiere algún entremés?

4. ¿Y para beber?

5. ¿Quiere algo de postre?

6. ¿Cómo estuvo la comida?

Escribir

M. Escribe un párrafo sobre la última vez que fuiste a un restaurante. Menciona:

- el nombre del restaurante
- por qué fuiste y con quién
- cuáles fueron las especialidades del menú
- qué pediste (15 puntos)

¡AVANZA! _____ pts. of 100   Nota _____

¡Éxito! You have successfully accomplished all your goals for this lesson.

Review: Before moving to the next lesson, use your textbook to review:

- ❏ ordering meals in a restaurant pp. 278–279
- ❏ talking about meals and dishes pp. 278–279
- ❏ describing food and service pp. 278–279, 288
- ❏ using affirmative and negative words p. 283
- ❏ using double object pronouns p. 288

Nombre _____ Clase _____ Fecha _____

Escuchar

A.

1. _____

2. _____

3. _____

4. _____

> **You can:**
> ❏ talk about meals and dishes
> ❏ describe food and service
> ____ pts. of 4

B.

1. _____

_____

2. _____

_____

3. _____

_____

> **You can:**
> ❏ talk about meals and dishes
> ❏ describe food and service
> ____ pts. of 6

Vocabulario y gramática

C.

1. _____

2. _____

3. _____

4. _____

5. _____

6. _____

7. _____

8. _____

9. _____

10. _____

> **You can:**
> ❏ order meals in a restaurant
> ❏ talk about meals and dishes
> ____ pts. of 10

D.

1. _____

2. _____

3. _____

4. _____

5. _____

> **You can:**
> ❏ talk about meals and dishes
>
> ____ pts. of 5

E.

1. _____

2. _____
   _____

3. _____
   _____

4. _____
   _____

5. _____
   _____

> **You can:**
> ❏ talk about meals and dishes
> ❏ use affirmative and negative words
> ❏ use double object pronouns
>
> ____ pts. of 10

F.

1. _____

2. _____

3. _____

4. _____

5. _____

6. _____

7. _____

> **You can:**
> ❏ use affirmative and negative words
>
> ____ pts. of 7

G.

You can:
❏ use double object pronouns

____ pts. of 8

1. _____

2. _____

3. _____

4. _____

5. _____

6. _____

7. _____

8. _____

Leer

H.

You can:
❏ talk about meals and dishes
❏ describe food and service

____ pts. of 6

1. _____

2. _____

3. _____

4. _____

5. _____

6. _____

I.

You can:
❏ talk about meals and dishes
❏ describe food and service

____ pts. of 4

1. _____

_____

2. _____

_____

Cultura

J.

1. _____
2. _____
3. _____
4. _____

> **You can:**
> ❑ talk about meals and dishes
> ____ pts. of 4

K.

1. _____
2. _____
3. _____

> **You can:**
> ❑ make a cultural connection with Spanish food and culture
> ____ pts. of 6

Hablar

L.

> **You can:**
> ❑ order meals in a restaurant
> ❑ talk about meals and dishes
> ❑ use double object pronouns ____ pts. of 15

Speaking Criteria	5 Points	3 Points	1 Point
Content	All your responses correspond to the questions and you provide and demonstrate good use of appropriate vocabulary and grammar points studied in this lesson.	Some of your responses correspond to the questions and you demonstrate sufficient use of appropriate vocabulary and grammar points.	Few of your responses correspond to the topic and you do not demonstrate appropriate use of vocabulary and grammar uses.
Communication	All the information in your responses can be understood.	Most of the information in your responses can be understood.	Most of the information in your responses is difficult to understand.
Accuracy	Your responses have few mistakes in grammar and vocabulary.	Your responses have some mistakes in grammar and vocabulary.	Your responses have many mistakes in grammar and vocabulary.

Nombre _____ Clase _____ Fecha _____

Escribir

M.

_____

_____

_____

_____

_____

_____

_____

_____

_____

_____

_____

_____

_____

_____

_____

_____

You can:
❏ order meals in a restaurant
❏ talk about meals and dishes
❏ use double object pronouns
____ pts. of 15

Writing Criteria	5 Points	3 Points	1 Point
Content	You provide abundant information about your last visit to a restaurant.	You provide some information about your last visit to a restaurant.	You provide very little information about your last visit to a restaurant.
Communication	All the information in your sentences is organized and can be easily followed.	Most of the information is organized and can be easily followed.	Most of the information in your sentences is disorganized and hard to follow.
Accuracy	Your paragraph has few mistakes in grammar and vocabulary.	Your paragraph has some mistakes in grammar and vocabulary.	Your paragraph has many mistakes in grammar and vocabulary.

Examen Unidad 5

> ▶¡AVANZA! **Goal:** Demonstrate that you have successfully learned to:
>
> - identify and describe ingredients
> - talk about food preparation and follow recipes
> - give instructions and make recommendations
> - order meals in a restaurant
> - talk about meals and dishes
>
> - describe food service
> - use adjectives ending in **-ísimo**
> - use **usted** and **ustedes** commands
> - use the correct placement of pronouns with commands
> - use affirmative and negative words
> - use double object pronouns

Escuchar

Test CD 2 Tracks 5, 6

A. Vas a escuchar el programa de cocina *A cocinar con Pepe*. Escucha la receta del cocinero Pepe. Completa las siguientes oraciones según lo que dice Pepe. (5 puntos)

1. El cocinero Pepe da esta receta porque _____.

2. Esta receta es para _____ personas.

3. En la receta, hay que cortar _____.

4. _____ los huevos.

5. Puedes comer la tortilla _____.

B. Toda la familia García fue a cenar en un restaurante. Escucha al camarero decirles lo que pueden pedir para la cena. Luego, contesta las preguntas con oraciones completas. (5 puntos)

1. ¿De qué les habla el camarero a la familia García? ¿Cómo se llama el camarero?

2. Menciona los entremeses que tienen esta noche en el restaurante.

3. ¿Cuáles son los platos principales? ¿Cómo están las chuletas de cerdo?

4. ¿Con qué sirven el filete a la parrilla?

5. ¿Qué postres tienen? ¿Cómo son los postres?

Vocabulario y gramática

C. Escribe las definiciones de las palabras. (10 puntos)

1. el cuchillo

2. el té

3. flan

4. la tortilla de patatas

5. la servilleta

6. salado

7. la lechuga

8. el vaso

9. la zanahoria

10. el gazpacho

D. Los señores García piensan viajar a Estados Unidos en el verano y te están pidiendo recomendaciones. Contesta con mandatos de **usted** o **ustedes** y los pronombre apropiados. Usa oraciones completas y pronombres de objeto si es necesario. (6 puntos)

1. ¿Dónde podemos pedir las mejores hamburguesas?

2. ¿A qué tienda voy para comprarme ropa elegante?

3. ¿Cuánta propina le damos a un camarero, el 30%?

4. ¿Le pago el viaje al agente de viajes con dinero o tarjeta de crédito?

5. ¿En dónde alquilamos un coche?

6. ¿En qué hotel hacemos una reservación?

E. Hoy Paqui está muy triste y todo lo que dice es negativo. Trata de ayudar diciéndole cosas positivas. Cambia las oraciones negativas a oraciones afirmativas. (5 puntos)

1. —<u>Nunca</u> hay <u>nada</u> que comer en la cocina.

2. —Mira. <u>Nadie</u> compró huevos.

3. —No hay cebollas. <u>Tampoco</u> hay aceite.

4. —No tenemos <u>ninguna</u> receta.

F. Da énfasis a tus oraciones usando la terminación **-ísimo(a)(os)(as)**. Escribe oraciones completas usando las palabras siguientes. (5 puntos)

1. estas frutas / estar / dulce

2. Mamá / estar / feliz

3. los espaguetis / estar / rico

4. este viaje / ser / largo

5. el examen / ser / fácil

G. Tu madre está hablando contigo por teleléfono. Contesta las preguntas que te hace. Usa oraciones completas con pronombres de objeto directo e indirecto. (14 puntos)

1. ¿Les diste el dinero a Ángela y José? (sí)

2. ¿Te estás poniendo las botas? Hoy llueve. (no)

3. ¿Me compraste el suéter que te pedí? (sí)

4. ¿Les vas a comprar regalos a tus abuelos? (sí)

5. ¿Nos vas a escribir una carta? (sí)

6. ¿Debo dar un mensaje a tus amigos si llaman? (sí)

7. ¿Te mandamos un correo electrónico mañana? (sí)

Leer

Lee el siguiente correo electrónico que Audrey les mandó a sus padres. Después haz los ejercicios H e I.

Queridos padres,

¡Qué hermosa es España! Estoy aprendiendo muchísimo. Siempre hacemos algo divertido. En este momento, Ana, Fernando y yo estamos en Barcelona. Hay tanto que ver aquí, y nos gusta pasear, mirar a la gente, visitar los barrios, y por supuesto, nos encanta comer.

Vamos a muchos cafés—por la manaña para el desayuno, a tomar una merienda, para almorzar a las dos, o para tomar algo o para comer unas tapas. Las tapas son riquísimas—y saben, la comida española no es picante como la comida mexicana. Me gustan todas, pero mi tapa favorita es jamón ibérico con queso manchego. ¡Qué ricos son! Anoche comimos en un restaurante no muy lejos de la playa que se llama Set Portes. Allí pedimos una paella grandísima y excelente. Nos la sirvió un camarero muy amable que hablaba Catalán. Nos enseñó algunas palabres. Después fuimos a una heladería. Como saben ustedes, el sabor que me gusta más es fresa, pero aquí pido cada día un sabor diferente.

Esta tarde fuimos al barrio gótico donde hay muchos palacios, plazas e iglesias. Entramos en la catedral y luego fuimos a otro barrio antiguo donde visitamos el Museo Picasso. Allí vimos muchas pinturas y algunos dibujos modernísimos. Mañana pensamos ir a unos edificios construidos por Gaudí como La Pedrera y La Casa Batlló. Algún día, vengan a visitar esta ciudad. ¡Se la recomiendo! Es bellísimo.

Los quiere mucho,
Audrey

H. Contesta las oraciones siguientes según el correo electrónico que mandó Audrey a sus padres. (4 puntos)

1. A los jóvenes les encanta _____.

2. Audrey dice que almuerzan a las _____.

3. En el restaurante Set Portes Audrey pidió _____.

4. El sabor del helado que más le gusta a Audrey es _____.

I. Contesta las siguientes preguntas sobre el mensaje que escribió Audrey. Usa oraciones completas. (6 puntos)

1. ¿Qué tapa le gusta más a Audrey?

2. ¿Quién les sirvió en Set Portes? ¿Qué les enseñó?

3. ¿Qué hay en el barrio gótico?

4. ¿Quién pintó las pinturas en el museo que visitó Audrey?

5. ¿Qué son La Pedrera y La Casa Batlló?

6. ¿Qué recomendación les da a sus padres?

Cultura

J. Completa las siguientes oraciones. (5 puntos)

1. Los churros y las porras son dos tipos de masa frita que se comen con ____.

2. El Greco nació en Grecia, pero vivió en ____.

3. Antoni Gaudí era ____.

4. Una pintura que representa cosas como huevos, cebollas y ajos, platos, tenedores, verdures, frutas y pan se llama una ____.

5. En sus ____, Pablo Neruda escribe sobre las cosas básicas de la vida.

K. Contesta las preguntas siguientes en oraciones completas. (5 puntos)

1. ¿A qué hora cenan en España?

2. ¿Quién es María Blanchard?

3. Da unos ejemplos de tapas españoles.

4. ¿Qué distinción tiene el restaurante Sobrino de Botín?

5. ¿Cuál es la díferencia entre una tortilla española y una salvadoreña o mexicana?

Hablar

L. Tu profesor va a preparar una cena especial para los estudiantes. Para ayudarle, díle lo que debe y no debe hacer para preparar los siguientes platos. Para cada dibujo, usa dos mandatos afirmativos o negativos con **usted**. (15 puntos)

hervir	freír	cortar	servir	mezclar
	crudo	batir	añadir	sal

Escribir

M. Cenaste en un restaurante con una amiga. Escribe uno o dos párrafos describiendo la experiencia que ustedes tuvieron. Describe la comida que pidieron y tu opinión del camarero y de la comida. Debes mencionar:

- cómo era el camarero
- qué pidieron: entremés, plato principal, postre, bebida
- cómo estuvo la comida (15 puntos)

¡AVANZA! _____ pts. of 100   Nota _____

¡Éxito! You have successfully accomplished all your goals for this unit.

Review: Before moving to the next unit, use your textbook to review:

- ❏ identifying and describing ingredients pp. 254–255
- ❏ talking about food preparation and following recipes pp. 244–255
- ❏ giving instructions and making recommendations p. 259
- ❏ ordering meals in a restaurant pp. 278–279
- ❏ talking about meals and dishes pp. 278–279
- ❏ describing food and service pp. 278–279, 288
- ❏ using adjectives ending in **-ísimo** p. 258
- ❏ using **usted** and **ustedes** commands p. 259
- ❏ using the correct placement of pronouns with commands p. 264
- ❏ using affirmative and negative words p. 283
- ❏ using double object pronouns p. 288

Escuchar

A.

1. _____

2. _____

3. _____

4. _____

5. _____

> **You can:**
> ❑ talk about food preparation and follow recipes
>
> ____ pts. of 5

B.

1. _____
_____

2. _____
_____

3. _____
_____

4. _____
_____

5. _____
_____

> **You can:**
> ❑ identify and describe ingredients
> ❑ talk about meals and dishes
>
> ____ pts. of 5

C.

1. _____

2. _____

3. _____

4. _____

5. _____

6. _____

7. _____

8. _____

9. _____

10. _____

> **You can:**
> ❑ talk about food and dishes
>
> ____ pts. of 10

D.

1. _____

_____

2. _____

_____

3. _____

_____

4. _____

_____

5. _____

_____

6. _____

_____

> **You can:**
> ❑ **usted** and **ustedes** commands
> ❑ use the correct placement of pronouns with commands
>
> ____ pts. of 6

E.

1. _____   _____

2. _____

3. _____

4. _____

> **You can:**
> ❑ use affirmative and negative words
>
> ____ pts. of 5

F.

1. _____

2. _____

3. _____

4. _____

5. _____

> **You can:**
> ❑ use adjectives ending in **-ísimo**
>
> ____ pts. of 5

G.

1. _____

   _____

2. _____

   _____

3. _____

   _____

4. _____

   _____

5. _____

   _____

6. _____

   _____

7. _____

You can:
❑ use of double object pronouns
____ pts. of 14

H.

1. _____

2. _____

3. _____

4. _____

You can:
❑ talk about meals and dishes
____ pts. of 4

I.

1. _____

   _____

2. _____

   _____

3. _____

   _____

4. _____

   _____

5. _____

   _____

6. _____

   _____

You can:
❑ talk about meals and dishes
❑ describe food and service
____ pts. of 6

UNIT 5 Unit Test

Cultura

J.

1. _____

2. _____

3. _____

4. _____

5. _____

You can:
❏ make a cultural connection to Spain
____ pts. of 5

K.

1. _____

2. _____

3. _____

4. _____

5. _____

You can:
❏ make a cultural connection to Spain
____ pts. of 5

Hablar

L.

You can:
❏ talk about food preparation
❏ use **usted** commands
❏ use pronoun placement with commands
❏ use double object pronouns   ____ pts. of 15

Speaking Criteria	5 Points	3 Points	1 Point
Content	You provide and demonstrate good use of appropriate vocabulary and grammar points studied in this lesson.	Some of your responses correspond to the questions and you demonstrate sufficient use of appropriate vocabulary and grammar points.	Few of your responses correspond to the topic and you do not demonstrate appropriate use of vocabulary and grammar uses.
Communication	All the information in your responses can be understood.	Most of the information in your responses can be understood.	Most of the information in your responses is difficult to understand.
Accuracy	Your responses have few mistakes in grammar and vocabulary.	Your responses have some mistakes in grammar and vocabulary.	Your responses have many mistakes in grammar and vocabulary.

Escribir

M.

_____

_____

_____

_____

_____

_____

_____

_____

_____

_____

_____

_____

_____

_____

_____

_____

_____

_____

You can:
❏ order meals in a restaurant
❏ talk about meals and dishes
❏ describe food and service
____ pts. of 15

Writing Criteria	5 Points	3 Points	1 Point
Content	You provide abundant information about preparation of vegetarian food.	You provide some information about preparation of vegetarian food.	You provide some information about preparation of vegetarian food.
Communication	All the information in your sentences is organized and can be easily followed.	Most of the information is organized and can be easily followed.	Most of the information in your sentences is disorganized and hard to follow.
Accuracy	Your paragraph has few mistakes in grammar vocabulary.	Your paragraph has some mistakes in grammar and vocabulary.	Your paragraph has many mistakes in grammar and vocabulary.

Examen Lección 1

¡AVANZA! **Goal:** Demonstrate that you have successfully learned to:

- tell others what to do and what not to do
- make suggestions
- talk about movies and how they affect you
- use **vamos a** + infinitive
- use affirmative and negative **tú** commands

Escuchar

Test CD 2 Tracks 7, 8

A. Un director de cine le explica a un actor como debe hacer una escena. Escucha lo que el director dice y completa las oraciones siguientes. (5 puntos)

1. Alberto no sabe exactamente _____ .

2. Si Alberto quiere ser una estrella de cine, tiene que _____ del director.

3. El director le dice a Alberto: « _____ y habla fuerte».

4. En la escena que filman, Alberto tiene que _____ .

5. La película que está haciendo el director es _____ .

B. Rodolfo está hablando con Cecilia. Escucha su conversación y después contesta las preguntas siguientes con oraciones completas. (5 puntos)

1. ¿Quién es Cecilia?

2. ¿Qué piensa Rodolfo del director?

3. ¿Qué encuentra difícil Rodolfo en esta película?

4. ¿Qué tiene que hacer Rodolfo en su papel?

5. Al final, ¿qué decide hacer Rodolfo?

Vocabulario y gramática

C. Completa las oraciones siguientes con el vocabulario correspondiente a las definiciones dadas. (5 puntos)

1. _____ es la persona que filma la acción de una película.

2. _____ es el diálogo entre los personajes.

3. _____ es una película que ves para aprender sobre un tema.

4. _____ es la persona que decide como debe ser la película.

5. _____ es la historia que cuenta una película.

D. Escribe un párrafo breve sobre una película que te gusta. Usa al menos cinco palabras de la siguiente caja. (10 puntos)

el argumento	filmar	hacer un papel	tener éxito	la película
el guión	el (la) director(a)	el actor	la actriz	la escena

E. Da órdenes a un actor que no sabe qué hacer. Escribe los mandatos familiares afirmativos con las palabras apropiadas del banco de palabras. (10 puntos)

1. No aprendí las líneas del guión.

2. No me puse el maquillaje todavía.

3. ¿Adónde miro, a ti o la cámara?

4. ¿Debo ser cómico o serio?

5. ¿Qué le digo a la actriz?

6. ¿Por dónde salgo?

7. ¿Cuándo debo venir?

8. ¿Voy a la ventana ahora?

9. ¿Filmo adentro o afuera?

10. ¿Debo tener paciencia con Luis?

F. Un director dice a sus actores lo que no deben hacer. Escribe los mandatos familiares negativos que dice el director. (10 puntos)

1. Silvia, no _____ a llorar todavía.

2. Jorge, no _____ a la cámara con esa cara.

3. Teresa, no _____ el lente de la cámara con los dedos.

4. Luis, no _____ el micrófono tan lejos de Cecilia.

5. Juan, no _____ cómico en esta escena.

6. Lisa, no _____ de la silla hasta ver salir a Alberto.

7. Teresa, no _____ demasiado cerca de la puerta.

8. Juan, sé que estás cansado, pero no _____ en esta escena.

9. Teresa, no _____ tarde del almuerzo. Continuamos a la una y media.

10. Cecilia, no _____ a casa todavía. Quiero hablar contigo.

G. Estás haciendo una película con tus amigos. Di lo que deben hacer ustedes usando **vamos a** en cinco oraciones completas. (5 puntos)

filmar	buscar	escribir	hacer	editar

Leer

Lee el siguiente artículo que publicó el periódico sobre el cine y los actores latinos en Hollywood. Después completa los ejercicios H y I.

El cine latino es cada día más popular en Estados Unidos. Hoy podemos ver aquí muchas películas en español hechas en Hollywood o importadas de América Latina y de España. Generalmente en el pasado, los actores latinos tuvieron trabajo en el cine local solamente en papeles sin importancia: de criminales, sirvientes o músicos. Pero hoy vemos a muchos actores y directores de países hispanos o de origen hispano que trabajan en todos los aspectos importantes de la industria de cine aquí. Hay muchas películas latinas reconocidas en los premios Óscar.

En el Festival Internacional de Cine Latino en Los Ángeles, los directores latinos de Estados Unidos, España y Latinoámerica presentan sus películas. El famoso actor Edward James Olmos, de origen mexicano, fue uno de los fundadores de ese festival. En el festival hay galas, talleres *(workshops)* para estudiantes de cine, y entrevistas *(interviews)* con directores, actores, guionistas y camarógrafos.

Ahora hay actores latinos, o de origen latino, que son muy famosos. Algunos ejemplos de una lista muy larga son: (de México) Salma Hayek, Gael García Bernal, Anthony Quinn; (de Puerto Rico) Jennifer López y Marc Anthony; (de Colombia) John Leguizamo; (de Panamá) Rubén Blades y muchísimos más de otros países hispanos. Dos directores muy importantes en estos días son el español Pedro Almodóvar y el mexicano Alfonso Cuarón.

H. Lee las siguientes oraciones. Si la oración es cierta, haz un círculo en la letra C. Si es falsa, haz un círculo en la letra F, y después corrígela. (5 puntos)

1. Los actores latinos de hoy hacen papeles pequeños en el cine.

2. Las películas latinas pueden ser nominadas en los premios Óscar.

3. Edward James Olmos ayudó a empezar el Festival Internacional de Cine Latino.

4. Sólo los directores de cine participan en el Festival Internacional de Cine Latino.

5. Pedro Almodóvar es un camarógrafo importante de España.

I. Contesta las siguientes preguntas basadas en la lectura. (5 puntos)

1. ¿Cuáles son dos papeles que actores latinos tuvieron en el pasado en Hollywood?

2. ¿Qué se hace en el Festival Internacional de Cine Latino?

3. ¿Qué papel hizo Edward James Olmos para ese festival?

4. ¿De dónde son algunos de las personas que trabajan en el cine latino?

5. ¿Cómo son diferentes los papeles de la gente hispana hoy que en el pasado?

Cultura

J. Completa las siguientes oraciones sobre el mundo artístico latinoaméricano. (5 puntos)

1. Hoy día, hay muchos actores y directores de países hispanos que trabajan en _____.

2. Un tema frecuente en el arte chicano es _____.

3. Tres eventos del Festival de Cine Latino son _____.

4. La escritora chilena que escribió *La casa de los espíritus* es _____.

5. En esa novela, el personaje principal tenía interés por _____.

K. Contesta las siguientes preguntas con oraciones completas. (5 puntos)

1. ¿Dónde se celebra el Festival Internacional de Cine Latino?

2. ¿Qué papel tuvo Edward James Olmos en ese festival?

3. ¿Qué palabra se usa para hablar de una persona de herencia mexicana?

4. ¿Qué pintaron los artistas de Los Four en Los Ángeles?

5. ¿Quién es el personaje principal en *La casa de los espíritus*?

Hablar

L. Tu profesor(a) te va a hacer varias preguntas sobre el cine. Mira los dibujos y contesta según ellos qué tipo de película te gusta más y por qué. Da un ejemplo. (15 puntos)

Escribir

M. Escribe una crítica de una película que viste y no te gustó. Incluye tantos detalles sobre la película como sea posible. Recuerda de:

- mencionar el tipo de película, a los actores y directores
- describir el argumento
- mencionar por qué fue un fracaso, en tu opinión
- dale consejos a un(a) amigo(a) que quiere verla (15 puntos)

¡AVANZA! _____ pts. of 100 Nota _____

¡Éxito! You have successfully accomplished all your goals for this lesson.

Review: Before moving to the next lesson, use your textbook to review:

❏ telling others what to do and what not to do pp. 315, 320
❏ making suggestions p. 314
❏ talking about movies and how they affect you pp. 310–311
❏ using **vamos a** + infinitive p. 314
❏ using affirmative **tú** commands p. 315
❏ using negative **tú** commands p. 320

Escuchar

A.

1. _____

2. _____

3. _____

4. _____

5. _____

> **You can:**
> ❑ tell others what to do and what not to do
> ❑ make suggestions
> ____ pts. of 5

B.

1. _____

_____

2. _____

_____

3. _____

_____

4. _____

_____

5. _____

_____

> **You can:**
> ❑ make suggestions
> ____ pts. of 5

Vocabulario y gramática

C.

1. _____

2. _____

3. _____

4. _____

5. _____

> **You can:**
> ❑ talk about movies and how they affect you
> ____ pts. of 5

D.

You can:

❏ talk about movies and how they affect you

____ pts. of 10

_____

_____

_____

_____

_____

_____

_____

_____

_____

E.

1. _____   6. _____

2. _____   7. _____

3. _____   8. _____

4. _____   9. _____

5. _____   10. _____

You can:

❏ use affirmative **tú** commands

____ pts. of 10

F.

1. _____

2. _____

3. _____

4. _____

5. _____

6. _____

7. _____

8. _____

9. _____

10. _____

You can:

❏ use negative **tú** commands

____ pts. of 10

UNIT 6 LESSON 1
Test

G.

1. _____
2. _____
3. _____
4. _____
5. _____

You can:
❏ use **ir a** + infinitive

____ pts. of 5

Leer

H.

1. C F
   _____

2. C F
   _____
   _____

3. C F
   _____

4. C F
   _____

5. C F
   _____

You can:
❏ talk about movies and how they affect you

____ pts. of 5

I.

1. _____
   _____

2. _____
   _____

3. _____
   _____

4. _____
   _____

5. _____
   _____

You can:
❏ talk about movies and how they affect you

____ pts. of 5

Cultura

J.

1. _____
2. _____
3. _____
4. _____
5. _____

> **You can:**
> ❑ make a cultural connection to the arts in the Spanish-speaking world
>
> ____ pts. of 5

K.

1. _____
2. _____
3. _____
4. _____
5. _____

> **You can:**
> ❑ make a cultural connection to the arts in the Spanish-speaking world
>
> ____ pts. of 5

Hablar

L.

> **You can:**
> ❑ talk about movies and how they affect you   ____ pts. of 15

Speaking Criteria	5 Points	3 Points	1 Point
Content	All of your responses correspond to the questions and you demonstrate good use of appropriate vocabulary and grammar.	Some of your responses correspond to the questions and you demonstrate sufficient use of appropriate vocabulary and grammar.	Few of your responses correspond to the questions and you do not demonstrate appropriate use of vocabulary and grammar.
Communication	All the information in your responses can be understood.	Most of the information in your responses can be understood.	Most of the information in your responses is difficult to understand.
Accuracy	Your responses have few mistakes in grammar and vocabulary.	Your responses have some mistakes in grammar and vocabulary.	Your responses have many mistakes in grammar and vocabulary.

Nombre _____ Clase _____ Fecha _____

Escribir

M.

_____

_____

_____

_____

_____

_____

_____

_____

_____

_____

_____

_____

_____

_____

_____

You can:
- ❑ write about movies and how they affect you

____ pts. of 15

Writing Criteria	5 Points	3 Points	1 Point
Content	You provide abundant information about the movie you saw.	You provide some information about the movie you saw.	You provide very little information about the movie you saw.
Communication	All the information in your movie review is organized and can be easily followed.	Most of the information in your movie review is organized and can be easily followed.	Most of the information in your movie review is disorganized and hard to follow.
Accuracy	Your review has few mistakes in grammar and vocabulary.	Your review has some mistakes in grammar and vocabulary.	Your review has many mistakes in grammar and vocabulary.

Examen Lección 2

¡AVANZA! **Goal:** Demonstrate that you have successfully learned to:

- make future plans
- express hopes and wishes
- influence others
- extend and respond to invitations
- talk about technology
- use subjunctive with **ojalá**
- use spelling changes in the subjunctive
- use the subjunctive of stem-changing verbs
- use the subjunctive of irregular verbs

Escuchar

Test CD 2 Tracks 9, 10

A. Completa las siguientes oraciones según el diálogo. (5 puntos)

1. Toni _____ con la actriz Silvia Villa.

2. Toni habla con _____ de cine.

3. Toni piensa que Ignacio Pérez _____.

4. La película de Ignacio Pérez tuvo éxito porque _____.

5. Al final de la conversación, no sabemos si _____.

B. El reportero Toni Olivera le hace preguntas a Rodolfo Montero antes de los Óscars. Escucha su conversación y luego contesta las siguientes preguntas usando oraciones completas. (5 puntos)

1. ¿Qué está haciendo Toni Olivera en los premios Óscar?

2. ¿Quién va a recibir los premios, según Toni?

3. ¿Cómo se vistieron los grandes de Hollywood para la gala?

4. ¿Qué competencia tiene Rodolfo Montero para el premio?

5. ¿Qué le dice Toni a Rodolfo al fin su conversación?

Vocabulario y gramática

C. Rodolfo está haciendo planes para una gala. Lee la conversación y complétala con las palabras apropiadas. (10 puntos)

MAMÁ: *(Rin Rin)* **1.** ¿ _____?

RODOLFO: Buenos días. ¿**2.** _____ con Liliana, por favor? Soy Rodolfo.

MAMÁ: No, ella **3.** _____. ¿Quiere dejar **4.** _____?

RODOLFO: Sí, por favor. Dígale que la llamé.

MAMÁ: **5.** ¡ _____! Adiós, Sr. Limonta. Oh, espere **6.** _____. Ella llegó.

LILIANA: Hola, Rodolfo. ¿Qué pasa?

RODOLFO: Quería invitarte a mi fiesta el próximo **7.** _____ de semana. ¿Puedes venir?

LILIANA: **8.** ¡ _____!

RODOLFO: ¡Excelente! Oye, ¿me puedes dar la **9.** _____ de Pedro? Quiero mandarle una invitación por computadora.

LILIANA: No la tengo. Lo siento.

RODOLFO: **10.** Oh, ¡ _____! Se la voy a pedir a Roberto. Hasta luego.

D. Completa las siguientes oraciones con la palabra apropiada. (5 puntos)

1. Cuando mando correo electrónico, escribo con _____ de la computadora.

2. Si no estoy en casa, les puedo llamar a mis papás con _____.

3. Uso _____ para hacer clic en un icono.

4. Hay una gala este sábado por la noche. Todos se van a poner _____.

5. Este actor famoso va a llevar _____.

E. Un director de cine expresa sus deseos para la gala en su casa. Completa las oraciones con los verbos apropiados. Usa el presente del subjuntivo. (10 puntos)

1. Ojalá que todos los invitados _____ mi casa.

2. Ojalá que Fernando _____ venir.

3. Ojalá que Silvia me _____ «felicidades».

4. Ojalá que a todos les _____ bailar, porque voy a tener música buena.

5. Ojalá que Ana y yo _____ un documental la próxima vez.

6. Ojalá que Eva y Jennifer _____ aquí temprano.

7. Ojalá que Billy _____ la canción de la película.

8. Ojalá que los fotógrafos _____ muchas fotos.

9. Ojalá que yo _____ la oportunidad de hablar con todos.

10. Ojalá que todos _____ de mi casa a las doce.

F. Penélope va a los premios Óscar. Escribe lo que desea usando **Ojalá que…** y el subjuntivo de los verbos siguientes. (10 puntos)

1. ganar

2. saber

3. dar

4. vestirse

5. tener

G. Julio expresa sus deseos durante una ceremonia de premios. Usando el contexto de cada oración, escribe el subjuntivo de un verbo que termina con **-car, -gar** o **-zar**. (5 puntos)

1. Pienso que David va a ganar. Ojalá que _____ lo que va a decir.

2. Sé que el corbatín te queda apretado, pero ojalá que no lo _____.

3. Los deportes son más divertidos que el cine. Ojalá que nosotros _____ al fútbol mañana.

4. Las luces están muy fuertes. Ojalá que ellos las _____.

5. Ya son las oche. Ojalá que la ceremonia _____ pronto.

Leer

Lee la conversación por mensajero instantáneo entre Mauricio y Linda. Después haz las actividades H e I.

mgutierrez93	¿Estás allí?
chicalindalu	Aquí estoy. ¿Qué tal, Mauricio? ¿Sabes qué? Hay una fiesta para celebrar el cumpleaños de Lina este fin de semana. Acabo de recibir una invitación por correo electrónico.
mgutierrez93	Ojalá que la reciba también. Un momentito. Voy a buscarla.
chicalindalu	Estoy segura de que estás invitado. Jorge me lo dijo ayer. Hablábamos en la cafetería.
mgutierrez93	No veo nada. ¿Cómo es posible? Jorge mandó todas las invitaciones al mismo tiempo, ¿no? Muchas veces mis amigos dicen que me mandaron correo electrónico y no recibo nada.
chicalindalu	¿Usas muchas direcciones electrónicas? Siempre tienes que abrir todas tus cuentas *(accounts)* para recibir los mensajes.
mgutierrez93	Es verdad. No las uso todas frecuentemente. Como es tarde, no quiero llamar a casa de Jorge. A esta hora, prefiero escribirle por mensajero instantáneo. Pero no tengo su dirección.
chicalindalu	No tengo su dirección tampoco. Pero tengo el número de su celular. Llámale al 233-5132. Hazlo pronto porque se acuesta a las diez durante la semana.
mgutierrez93	Gracias, Linda. Hasta mañana.

H. Completa las siguientes oraciones según lo que leíste. (5 puntos)

1. Mauricio no recibió _____.

2. Mauricio piensa que Jorge _____.

3. Mucha gente le dice a Mauricio que _____, pero él no recibe nada.

4. Mauricio no quiere _____ de Jorge.

5. Linda no tiene _____ de Jorge, pero tiene su número de celular.

I. Contesta las siguientes preguntas según la conversación entre Mauricio y Linda. Usa oraciones completas. (5 puntos)

1. ¿Cómo recibió Linda su invitación para la fiesta de Lina?

2. ¿Por qué está convencida Linda de que Mauricio está invitado?

3. ¿Por qué Mauricio no recibe algunos de los correos electrónicos que le mandan sus amigos?

4. ¿Qué no puede usar Mauricio para estar en contacto con Jorge? ¿Cómo va a hablarle?

5. ¿Por qué Mauricio tiene que hablar con Jorge pronto?

Cultura

J. Completa las oraciones con la respuesta apropiada de la caja. No se usan todas las opciones. (5 puntos)

el cine	el Óscar	medios	la televisión	el Ariel
premios	la música	el Grammy	radios	

1. Como artista, Patssi Valdez trabaja con una variedad de _____.

2. Valdez dice que _____ es una inspiración en la creación de su arte.

3. Alexis Bledel y Wilmer Valderrama tuvieron más éxito en _____.

4. Rita Moreno fue la primera actriz hispana en ganar _____.

5. La Academia Mexicana de Artes y Ciencias Cinematográficas otorga _____.

K. Contesta las siguientes preguntas con oraciones completas. (5 puntos)

1. ¿Por qué le dio Margaret Herrick el nombre «Óscar» al premio de la Academia?

2. ¿Cuáles son las cinco profesiones simbolizadas por los radios de la estatuilla de Óscar?

3. ¿A qué se refiere la «Epoca de Oro» en el cine mexicano?

4. ¿Qué tienen en común los actores Wilmer Valderrama y Alexis Bledel?

5. Más que la pintura, ¿qué hace Patssi Valdez como artista?

Hablar

L. Explica a tu profesor cómo y para qué usas la computadora. También dile tus deseos cuando usas una computadora, usando **Ojalá que…**. (15 puntos)

Escribir

M. Tú estás llamando a un(a) amigo(a) para invitarlo(a) a una fiesta. Él (Ella) no sabe si quiere ir, y tienes que convencerlo(a) de venir. Escribe un diálogo entre tú y tu amigo(a). Recuerda incluir:

- vocabulario sobre llamadas telefónicas
- el tipo de fiesta, cuándo es y dónde está
- frases para convencer a tu amigo(a) de venir
- tres oraciones con **ojalá que** (15 puntos)

¡AVANZA! _____ pts. of 100   Nota _____

¡Éxito! You have successfully accomplished all your goals for this lesson.

Review: Before moving to the next lesson, use your textbook to review:

- ❏ making future plans pp. 334–335
- ❏ expressing hopes and wishes pp. 339, 344
- ❏ influencing others pp. 334–335
- ❏ extending and responding to invitations pp. 334–335
- ❏ talking about technology pp. 334–335
- ❏ using subjunctive with **ojalá** pp. 339, 344
- ❏ using spelling changes in the subjunctive p. 341
- ❏ using the subjunctive of stem-changing verbs p. 341
- ❏ using the subjunctive of irregular verbs p. 344

Escuchar

A.

1. _____

2. _____

3. _____

4. _____

5. _____

You can:

❏ express hopes and wishes

____ pts. of 5

B.

1. _____

2. _____

3. _____

4. _____

5. _____

You can:

❏ express hopes and wishes

____ pts. of 5

Vocabulario y gramática

C.

1. _____

2. _____

3. _____

4. _____

5. _____

6. _____

7. _____

8. _____

9. _____

10. _____

You can:

❏ extend and respond to invitations
❏ influence others
❏ make future plans

____ pts. of 10

D.

1. _____

2. _____

3. _____

4. _____

5. _____

> **You can:**
> ❑ talk about technology
>
> ____ pts. of 5

E.

1. _____

2. _____

3. _____

4. _____

5. _____

6. _____

7. _____

8. _____

9. _____

10. _____

> **You can:**
> ❑ express hopes and wishes
> ❑ use subjunctive with **ojalá**
> ❑ use the subjunctive of stem-changing verbs
>
> ____ pts. of 10

F.

1. _____

_____

2. _____

_____

3. _____

_____

4. _____

_____

5. _____

_____

> **You can:**
> ❑ express hopes and wishes
> ❑ use subjunctive with **ojalá**
> ❑ use the subjunctive of irregular verbs
> ❑ use irregular verbs
>
> ____ pts. of 10

Nombre _____ Clase _____ Fecha _____

G.

1. _____

2. _____

3. _____

4. _____

5. _____

You can:
❑ use subjunctive with **ojalá**
❑ use spelling changes in the subjunctive

_____ pts. of 5

Leer

H.

1. _____

2. _____

3. _____

4. _____

5. _____

You can:
❑ extend and respond to invitations

_____ pts. of 5

I.

1. _____
_____

2. _____
_____

3. _____
_____

4. _____
_____

5. _____
_____

You can:
❑ extend and respond to invitations

_____ pts. of 5

Cultura

J.

1. _____

2. _____

3. _____

4. _____

5. _____

> **You can:**
> ❑ make a cultural connection to the arts in the Spanish-speaking world
>
> ____ pts. of 5

K.

1. _____
   _____

2. _____
   _____

3. _____
   _____

4. _____
   _____

5. _____
   _____

> **You can:**
> ❑ make a cultural connection to the arts in the Spanish-speaking world
>
> ____ pts. of 5

Hablar

L.

> **You can:**
> ❑ talk about technology   ____ pts. of 15

Speaking Criteria	5 Points	3 Points	1 Point
Content	All of your responses correspond to the questions and you provide and demonstrate good use of appropriate vocabulary and grammar.	Some of your responses correspond to the questions and you demonstrate sufficient use of appropriate vocabulary and grammar.	Few of your responses correspond to the questions and you do not demonstrate appropriate use of vocabulary and grammar.
Communication	All of the information in your responses can be understood.	Most of the information in your responses can be understood.	Most of the information in your responses is difficult to understand.
Accuracy	Your responses have few mistakes in grammar and vocabulary.	Your responses have some mistakes in grammar and vocabulary.	Your responses have many mistakes in grammar and vocabulary.

Nombre _____ Clase _____ Fecha _____

Escribir

M.

_____

_____

_____

_____

_____

_____

_____

_____

_____

_____

_____

_____

_____

_____

_____

_____

_____

You can:

❑ extend and respond to invitations

❑ use subjunctive with **ojalá**

❑ express hopes and wishes

____ pts. of 15

Writing Criteria	5 Points	3 Points	1 Point
Content	You provide abundant information about convincing a friend who does not want to go to your party.	You provide some information about convincing a friend who does not want to go to your party.	You provide very little information about convincing a friend who does not want to go to your party.
Communication	All the information in your dialog is organized and can be easily followed.	Most of the information in your dialog is organized and can be easily followed.	Most of the information in your dialog is disorganized and hard to follow.
Accuracy	Your dialog has few mistakes in grammar vocabulary.	Your dialog has some mistakes in grammar and vocabulary.	Your dialog has many mistakes in grammar and vocabulary.

Examen Unidad 6

> **¡AVANZA!** **Goal:** Demonstrate that you have sucessfully learned to:
>
> - tell others what to do and what not to do
> - make suggestions
> - talk about movies and how they affect you
> - make future plans
> - express hopes and wishes
> - influence others
> - extend and respond to invitations
>
> - talk about technology
> - use **vamos a** + infinitive
> - use affirmative and negative **tú** commands
> - use subjunctive with **ojalá**
> - use spelling changes in the subjunctive
> - use the subjunctive of stem-changing verbs
> - use the subjunctive of irregular verbs

Escuchar

Test CD 2 Tracks 11, 12

A. Escucha el reportaje de unos premios de cine. Luego, completa las oraciones siguientes según lo que escuchaste. (5 puntos)

1. Los actores, directores, _____ y camarógrafos fueron a celebrar.

2. Todos ellos celebraron en _____.

3. El rojo, el verde y el azul fueron los colores más populares de _____.

4. Casi todos los hombres llevaron _____.

5. La noche fue _____.

B. Escucha la conversación entre Ignacio y Silvia. Luego contesta las preguntas con oraciones completas según lo que escuchaste. (5 puntos)

1. ¿Qué quiere hacer Ignacio?

2. ¿Por qué piensa él que no puede hacerlo?

3. ¿Cuál es la dirección electrónica de Rodolfo que Silvia le dice a Ignacio?

4. ¿Qué problema cree Ignacio que tiene?

5. ¿Cómo ayudó Silvia a Ignacio?

Vocabulario y gramática

C. Lee las siguientes definiciones de cosas relacionadas al cine y escribe la(s) palabra(s) del vocabulario que quiere decir lo mismo *(same)*. (10 puntos)

1. no tener éxito
2. te da miedo
3. la persona que escribe el guión
4. actores muy famosos
5. dice que una película es buena o mala
6. te hace reír
7. se pone en la cara antes de filmar
8. tiene personajes dibujados
9. se usa para filmar
10. lo que cuenta el guión

D. Cecilia llama a Alberto para invitarlo a ver un estreno de una película de aventuras. Completa las oraciones con la respuesta correcta del banco de palabras. (10 puntos)

te lo juro	estar en línea	invitación	cómo no	gala
estoy convencido	ropa elegante	claro que sí	crítica	aló
fin de semana	estrenar	me encantaría	corbatín	teclado

CECILIA: 1. ¿_____? ¿Alberto? Te habla Cecilia.

ALBERTO: Hola Cecilia. ¿Qué pasa?

CECILIA: Tengo una 2. _____ para ir a la película *Las aventuras de don Juan.*

Va a 3. _____ en el cine Apolo. Luego hay una 4. _____ en la casa del

director. ¿Quieres venir?

ALBERTO: Sí, pero estoy muy cansado hoy.

CECILIA: Pero no es esta noche; es este 5. _____.

ALBERTO: Entonces, 6. ¡ _____ ir! ¿Quiénes van?

CECILIA: Todos los grandes de Hollywood.

ALBERTO: ¡No!

CECILIA: 7. ¡_____!

ALBERTO: ¿Vas a llevar 8. _____?

CECILIA: 9. ¡_____!

ALBERTO: Entonces yo voy a llevar mi 10. _____ negro. Adiós.

E. Un director está trabajando con gente no muy profesional. Escribe los mandatos familiares que necesita darles a ellos, según lo que deben o no deben hacer. (5 puntos)

1. Marta tiene que decir su línea.

2. Sergio debe ponerse el uniforme y el maquillaje para la escena.

3. Marta no debe ser tan seria; es una comedia.

4. Antonio tiene que hacer el papel de un profesor, no de un estudiante.

5. Mario no debe filmar todavía.

F. Teresa se fue a almorzar con unos amigos a un restaurante de la esquina. Ellos están hablando de lo difícil que es trabajar con Roberto. Completa las oraciones con el verbo apropiado del banco de palabras. Usa el presente del subjuntivo. (10 puntos)

1. Ojalá que este documental _____ pronto. Es difícil trabajar con él.

2. Ojalá que Roberto no me _____ tantas cosas qué hacer.

3. Ojalá que nosotros no _____ otro documental.

4. Ojalá que tú _____ paciencia con él. Yo ya no la tengo.

5. Ojalá que yo _____ hacer mi trabajo bien.

6. Ojalá que él no me _____ trabajar esta noche.

7. Ojalá que los actores _____ sus papeles perfectamente.

8. Ojalá que nosotros _____ bien esta noche.

9. Ojalá que la situación _____ mejor.

10. Ojalá que los productores nos _____ más dinero.

G. Eres un actor (una actriz) que acaba de hacer una película nueva. Escribe tus deseos para la película, usando **ojalá que** y los verbos mostrados. (5 puntos)

1. fracasar

2. dar

3. preferir

4. ganar

5. llegar

Leer

Lee el siguiente diálogo entre Sergio y sus padres. Después completa las actividades H e I.

MAMÁ Feliz cumpleaños, hijo. Aquí tenemos un regalito para ti. ¿Sabes lo que te compramos?

PAPÁ Es imposible saber qué comprarle, Josefina. Nunca dice nada.

SERGIO No es verdad. Ustedes saben lo que yo quiero. Siempre se los repito.

MAMÁ Ah, sí. Unos DVD de los documentales interesantes de este año. ¿No?

SERGIO ¡Pues, no! Ojalá que sea un teléfono celular. Uno pequeñito con cámara digital. Y muchos minutos. ¿Puede ser?

MAMÁ Ábrelo a ver.

SERGIO ¡Qué bueno! Muchísimas gracias, mami y papi.

PAPÁ Así puedes llamarnos si hay algún problema. Ojalá que no pase nada y que no lo necesites nunca. Cuídalo bien. No es un juguete.

SERGIO Claro, Papi. Lo voy a cuidar bien. No lo voy a perder.

MAMÁ Y no lo uses durante las clases, tampoco. Tiene que estar apagado entre las ocho y las tres de la tarde, ¿de acuerdo?

SERGIO Se lo juro.

PAPÁ No lo dejes en casa, tampoco. ¡Ojalá que lo tengas en caso de emergencia!

SERGIO ¡Bueno, está bien. Por ahora, ¿puedo hacer una llamada?

PAPÁ ¿A quién vas a llamar?

SERGIO A Carolina. Vamos a una fiesta para mirar la presentación de los premios Óscar mañana y quiero invitarla a cenar conmigo antes de ir.

H. Completa las siguientes oraciones según el diálogo. (5 puntos)

1. Mamá dice que Sergio quiere _____ para su cumpleaños.

2. Sus padres dicen que Sergio no debe _____.

3. Sergio debe usarlo _____.

4. El teléfono _____ entre las ocho y las tres de la tarde.

5. Si hay algún problema, Sergio puede _____.

I. Contesta las siguientes preguntas según el diálogo. Usa oraciones completas. (5 puntos)

1. ¿Qué tipo de teléfono celular quiere Sergio?

2. ¿Por que le dan los padres de Sergio un teléfono celular?

3. ¿Qué quiere hacer Sergio mañana antes de la fiesta?

4. ¿Cómo sabían los padres lo que querían Sergio?

5. ¿Qué les jura Sergio a sus padres?

Cultura

J. Completa las oraciones siguientes con uno de los nombres del banco de palabras. (5 puntos)

Gilbert Lujan	Alexis Bledel	Edward James Olmos	Patssi Valdez
Rita Moreno	José Ferrer	Wilmer Valderrama	Isabel Allende

1. _____ es una actriz de televisión que aprendió el español como primer idioma.

2. _____ es una escritora chilena que tiene una novela adaptada a una película.

3. _____ es un artista mexicano que formó el grupo Los Four.

4. _____ es una actriz puertorriqueña que ganó un premio Óscar.

5. _____ es un actor puertorriqueño que fue el primer ganador latino del premio Óscar.

K. Contesta las siguientes preguntas con oraciones completas. (5 puntos)

1. ¿Quién es un personaje importante de *La casa de los espíritus*?

2. ¿Qué quiere decir **chicano**?

3. ¿Quién es Gilbert Lujan?

4. ¿Por qué son importantes José Ferrer y Rita Moreno al cine latino?

5. ¿Qué es el Ariel?

Hablar

L. Tu profesor(a) te va a hacer varias preguntas sobre tu actor o actriz favorito(a). Responde con oraciones completas. (15 puntos)

1. ¿Quién es tu actor/actriz favorito(a)? ¿Por qué?

2. ¿Qué películas filmó que te gustaron? ¿Cómo reaccionaste a ellas?

3. ¿Qué tipo de papeles hace generalmente?

4. ¿Recibió él/ella un premio alguna vez? ¿Por cuál película? ¿Piensas que él/ella va a ganar un premio en el futuro?

5. Imagina que lo/la conoces en una fiesta. ¿Qué le dices? Menciona un deseo que tienes para él/ella.

Escribir

M. Tú vas a hacer una película y necesitas la ayuda de un amigo o alguien de tu familia. Escríbele una carta pidiéndole ayuda. Menciona:

- el tipo de película y cómo es el argumento
- qué papeles hay en la producción de la película
- qué vas a necesitar para hacerla
- tres mandatos tu amigo
- tres deseos que tienes para la película y su estreno (15 puntos)

¡AVANZA! _____ pts. of 100   Nota _____

¡Éxito! You have successfully accomplished all your goals for this unit.

Review: Before moving to the next unit, use your textbook to review:

- ❏ telling others what to do and what not to do pp. 315, 320
- ❏ making suggestions p. 314
- ❏ talking about movies and how they affect you pp. 310–311
- ❏ making future plans pp. 334–335
- ❏ expressing hopes and wishes pp. 339, 344
- ❏ influencing others pp. 334, 335
- ❏ extending and responding to invitations pp. 334–335
- ❏ talking about technology pp. 334–335
- ❏ using **vamos a** + infinitive p. 314
- ❏ using affirmative and negative **tú** commands pp. 315, 320
- ❏ using subjunctive with **ojalá** pp. 339, 344
- ❏ using spelling changes in the subjunctive p. 341
- ❏ using the subjunctive of stem-changing verbs p. 341
- ❏ using the subjunctive of irregular verbs p. 344

Escuchar

A.

1. _____

2. _____

3. _____

4. _____

5. _____

> **You can:**
> ❏ talk about movies and how they affect you
>
> ____ pts. of 5

B.

1. _____
   _____

2. _____
   _____

3. _____
   _____

4. _____
   _____

5. _____
   _____

> **You can:**
> ❏ talk about technology
>
> ____ pts. of 5

Vocabulario y gramática

C.

1. _____   6. _____

2. _____   7. _____

3. _____   8. _____

4. _____   9. _____

5. _____   10. _____

> **You can:**
> ❏ talk about movies and how they affect you
>
> ____ pts. of 10

D.

1. _____
2. _____
3. _____
4. _____
5. _____
6. _____
7. _____
8. _____
9. _____
10. _____

You can:
❏ extend and respond to invitations

____ pts. of 10

E.

1. _____
2. _____
3. _____
4. _____
5. _____

You can:
❏ use affirmative **tú** commands
❏ use negative **tú** commands

____ pts. of 5

F.

1. _____
2. _____
3. _____
4. _____
5. _____
6. _____
7. _____
8. _____
9. _____
10. _____

You can:
❏ use subjunctive with **ojalá**
❏ use spelling changes in the subjunctive
❏ use the subjunctive of stem-changing verbs
❏ use the subjunctive of irregular verbs

____ pts. of 10

UNIT 6
Unit Test

G.

1. _____

2. _____

3. _____

4. _____

5. _____

You can:
- ❏ use subjunctive with **ojalá**
- ❏ use spelling changes in the subjunctive
- ❏ use the subjunctive of stem-changing verbs
- ❏ use the subjunctive of irregular verbs

____ pts. of 5

Leer

H.

1. _____

2. _____

3. _____

4. _____

5. _____

You can:
- ❏ tell others what to do and what not to do

____ pts. of 5

I.

1. _____

_____

2. _____

_____

3. _____

_____

4. _____

_____

5. _____

You can:
- ❏ tell others what to do and what not to do
- ❏ make future plans
- ❏ talk about technology

____ pts. of 5

Cultura

J.

1. _____
2. _____
3. _____
4. _____
5. _____

> **You can:**
> ❏ make a cultural connection to the arts in the Spanish-speaking world
>
> ____ pts. of 5

K.

1. _____
2. _____
3. _____
4. _____
5. _____

> **You can:**
> ❏ make a cultural connection to the arts in the Spanish-speaking world
>
> ____ pts. of 5

Hablar

L.

> **You can:**
> ❏ talk about movies and how they affect you
> ❏ use subjunctive with **ojalá**   ____ pts. of 15

Speaking Criteria	5 Points	3 Points	1 Point
Content	All of your responses correspond to the questions and you provide and demonstrate good use of appropriate vocabulary and grammar.	Some of your responses correspond to the questions and you demonstrate sufficient use of appropriate vocabulary and grammar.	Few of your responses correspond to the questions and you do not demonstrate appropriate use of vocabulary and grammar.
Communication	All of the information in your responses can be understood.	Most of the information in your responses can be understood.	Most of the information in your responses is difficult to understand.
Accuracy	Your responses have few mistakes in grammar and vocabulary.	Your responses have some mistakes in grammar and vocabulary.	Your responses have many mistakes in grammar and vocabulary.

Escribir

M.

_____

_____

_____

_____

_____

_____

_____

_____

_____

_____

_____

_____

_____

_____

_____

_____

_____

You can:
❏ make future plans
❏ tell others what to do and what not to do
❏ express hopes and wishes
___ pts. of 15

Writing Criteria	5 Points	3 Points	1 Point
Content	You provide abundant information about your movie project.	You provide some information about your movie project.	You provide very little information about your movie project.
Communication	All the information in your letter is organized and can be easily followed.	Most of the information in your letter is organized and can be easily followed.	Most of the information in your letter is disorganized and hard to follow.
Accuracy	Your letter has few mistakes in grammar and vocabulary.	Your letter has some mistakes in grammar and vocabulary.	Your letter has many mistakes in grammar and vocabulary.

Examen Lección 1

> **¡AVANZA!** **Goal:** Demonstrate that you have successfully learned to:
>
> - discuss school-related issues
> - state and respond to opinions
> - present logical and persuasive arguments
> - use subjunctive with impersonal expressions
> - use impersonal expressions with **haya**
> - use **por** and **para**

Escuchar

Test CD 2 Tracks 13, 14

A. Escucha la entrevista entre dos estudiantes de las escuela. Completa las siguientes oraciones según la conversación. (4 puntos)

1. Rosa está escribiendo _____.

2. Para Pepe, es importante que un amigo _____.

3. Para Rosa, cuando todas las personas salen, es importante _____.

4. Para Pepe, _____ tu amigo siempre esté contigo.

B. Irene Sosa, la editora del periódico *El quincenal*, escribió un anuncio en el periódico porque necesita personas para ayudar en el periódico. Escucha lo que ella escribió y luego contesta las preguntas. (6 puntos)

1. ¿Por qué es importante que la escuela tenga actividades escolares?

2. Si quieres trabajar en *El quincenal*, ¿por qué es preferible que sepas escribir y tomar fotos?

3. ¿Para que es importante que haya más periodistas en *El quincenal*?

Vocabulario y gramática

C. Termina cada oración sobre la comunidad escolar y el trabajo en un periódico. (6 puntos)

1. Vamos a publicar un ____ en el periódico.

2. Antes del artículo, debemos poner un ____ con letras más grandes.

3. Si dices lo que piensas de una cuestión, estás dando tu ____.

4. Si todos tenemos la misma idea, estamos ____.

5. Cuando tus amigos te dicen: «Debes hacer esto porque todos nosotros lo hacemos», esto se llama ____.

6. Para saber qué pasó en el mundo es necesario leer las ____.

D. Escribe una oración para decir cuál es el papel de cada persona en el periódico. (6 puntos)

1. Lauro

2. Juanita

3. Mauricio

E. La editora del periódico escolar les da su opinión a los estudiantes que trabajan con ella. Lee las opiniones que da y escríbelas en otras palabras, usando las expresiones **Es necesario que, Es importante que, Es preferible que, Es bueno que y es malo que.** (8 puntos)

1. ¿Están aquí todos? Es importante estar aquí a tiempo.

2. Marta, por favor entrevista al director de la escuela. Prefiero eso.

3. Ustedes tienen que investigar antes de escribir los artícules.

4. ¡Hay demasiados anuncios en esta página! Eso no es bueno.

5. ¡Uy! Esta edición del periodico no tiene titulares interesantes.

6. Ahora sé todos sus números de teléfono. Eso es bueno.

7. Para este artículo no necesitamos fotos. No necesitas tomarlas, Ana.

8. Hay que publicar el periódico para el lunes. ¡Es importante!

F. Completa las siguientes oraciones con **por** o **para**. (14 puntos)

1. Aquel periodista mira _____ la ventana mientras escribe _____ ver quién llega.

2. El padre de Guillermo trabajó _____ el periódico *Hoy Día* _____ ocho años.

3. Mariana debes llamar al artista _____ teléfono y terminar su entrevista _____ el lunes.

4. Los editores van a hablar con nosotros _____ la mañana _____ explicar el trabajo.

5. Mucha gente lee el periódico _____ Internet _____ saber las noticias.

6. Nuestro escritor sale _____ Punta Cana en febrero y _____ eso no va a estar aquí.

7. Gracias _____ venir. _____ mí fue muy divertida la tarde.

G. Contesta las siguientes preguntas con oraciones completas. (6 puntos)

1. ¿Qué te gusta leer en el periódico?

2. ¿Es malo que haya presión de grupo en tu escuela?

3. ¿Qué es importante en una buena amistad?

Leer

Lee el siguiente artículo sobre la presión de grupo. Luego completa los ejercicios H e I.

Simplemente por pasar tiempo contigo, tus compañeros son muy importantes en tu vida. Los compañeros pueden tener una influencia positiva. Tal vez un compañero en tu clase de ciencias te enseñó, cómo hacer una tarea, o alguien en tu equipo de fútbol te enseñó a hacer algo interesante con la pelota. Después de hablar con una amiga, tal vez te interesa su nuevo libro favorito. O tal vez tus amigos te llevan a estudiar un día en que no tienes ganas de hacerlo. Estos son algunos ejemplos de cómo los compañeros pueden tener una influencia positiva.

A veces los compañeros pueden tener una influencia negativa. Por ejemplo, algunos estudiantes en la escuela pueden pasar mucho tiempo en deportes y no van a clase. O un estudiante de tu barrio puede invitarte a participar en actividades peligrosas.

Es difícil cuando solamente tú dices no a la presión de grupo, pero tú puedes hacerlo. Es preferible que tengas otro compañero o amigo que también puede decir no. De esta manera, no estás solo delante de la presión de grupo y sus influencias negativas.

H. Completa las siguientes oraciones según el texto. (4 puntos)

1. Tus compañeros tienen mucha influencia en tu vida simplemente _____ .

2. Los compañeros pueden tener una influencia _____ .

3. Es difícil _____ .

4. Es importante que _____ que también puede decir no.

I. Contesta las siguientes preguntas con oraciones completas. (6 puntos)

1. ¿Por qué crees que tus compañeros tienen influencia en tu vida?

2. ¿Cuál es una influencia positiva de los amigos?

3. ¿Cuál es una influencia negativa de los amigos?

Cultura

J. Completa las siguientes oraciones. (4 puntos)

1. La capital de la República Dominicana es _____ .

2. La República Dominicana fue el primer lugar de las Américas donde llegaron _____ .

3. Los taínos eran _____ .

4. Las personas de la República Dominicana tienen una cultura _____ .

K. Contesta las siguientes preguntes con oraciones completas. (6 puntos)

1. ¿Cuál es una característica del arte de Charlie Simón?

2. ¿Cuál es un lugar turístico de la República Dominicana, y por qué es interesante?

3. ¿Como es el clima de la República Dominicana, y para qué van muchos turistas allí?

Hablar

L. Tu profesor te va a hacer unas preguntas sobre tu vida escolar y tus opiniones. Contesta con oraciones completas. (15 puntos)

1. ¿Tienes amigos en la comunidad escolar?

2. ¿Participas en las actividades escolares? ¿Qué haces?

3. ¿Es importante tener un periódico escolar? ¿Por qué?

4. ¿Es bueno que los estudiantes escriban al editor del periódico escolar dando sus opiniones? ¿Por qué?

5. ¿Con qué cosas no estás de acuerdo en la escuela?

Escribir

M. Escribe un párrafo explicando las ventajas (*advantages*) y las desventajas (*disadvantages*) de usar uniforme en tu escuela. Menciona:

- las ventajas, en tu opinión, de llevar uniforme
- las desventajas, en tu opinión, de llevar uniforme
- por qué a algunos estudiantes no les gusta llevar uniforme y por qué
- a quiénes les gusta esta idea y por qué
- tu conclusión: ¿Es preferible o no? (15 puntos)

¡AVANZA! _____ pts. of 100   Nota _____

¡Éxito! You have successfully accomplished all your goals for this lesson.

Review: Before moving to the next lesson, use your textbook to review:

- ❏ discussing school-related issues pp. 366–367
- ❏ stating and responding to opinions pp. 366–367
- ❏ presenting logical and persuasive arguments p. 371
- ❏ using subjunctive with impersonal expressions p. 371
- ❏ using impersonal expressions with **haya** p. 373
- ❏ using **por** and **para** p. 376

Escuchar

A.

1. _____

2. _____

3. _____

4. _____

> **You can:**
> ❏ Discuss school-related issues
>
> ____ pts. of 4

B.

1. _____

_____

2. _____

_____

3. _____

_____

> **You can:**
> ❏ Discuss school-related issues
>
> ____ pts. of 6

Vocabulario y gramática

C.

1. _____

2. _____

3. _____

4. _____

5. _____

6. _____

> **You can:**
> ❏ Discuss school-related issues
>
> ____ pts. of 6

D.

1. _____

   _____

2. _____

   _____

3. _____

   _____

You can:

❏ Discuss school-related issues

____ pts. of 6

E.

1. _____   5. _____

2. _____   6. _____

3. _____   7. _____

4. _____   8. _____

You can:

❏ Use subjunctive with impersonal expressions

____ pts. of 8

F.

1. _____   _____

2. _____   _____

3. _____   _____

4. _____   _____

5. _____   _____

6. _____   _____

7. _____   _____

You can:

❏ Use por and para

____ pts. of 14

G.

1. _____

_____

2. _____

_____

3. _____

_____

You can:
- ❏ Discuss school-related issues
- ❏ State and respond to opinions
- ❏ Present logical arguments

_____ pts. of 6

Leer

H.

1. _____

2. _____

3. _____

4. _____

You can:
- ❏ Discuss school-related issues

_____ pts. of 4

I.

1. _____

_____

2. _____

_____

3. _____

_____

You can:
- ❏ Discuss school-related issues
- ❏ State and respond to opinions

_____ pts. of 6

Cultura

J.

1. _____

2. _____

3. _____

4. _____

> **You can:**
> ❑ Make a cultural connection to the Dominican Republic
>
> ____ pts. of 4

K.

1. _____

   _____

2. _____

   _____

3. _____

   _____

> **You can:**
> ❑ Make a cultural connection to the Dominican Republic
>
> ____ pts. of 6

Hablar

L.

> **You can:**
> ❑ Talk about school-related activities
> ❑ State and respond to opinions
> ❑ Present logical and persuasive arguments   ____ pts. of 15

Speaking Criteria	5 Points	3 Points	1 Point
Content	All of your responses correspond to the questions and you demonstrate good use of appropriate vocabulary and grammar studied in this lesson.	Some of your responses correspond to the questions and you demonstrate sufficient use of appropriate vocabulary and grammar.	Few of your responses correspond to the topic and you do not demonstrate appropriate use of vocabulary and grammar.
Comprehensibility	All the information in your responses can be understood.	Most of the information in your responses can be understood.	Most of the information in your responses is difficult to understand.
Accuracy	Your responses have few mistakes in grammar and vocabulary.	Your responses have some mistakes in grammar and vocabulary.	Your responses have many mistakes in grammar and vocabulary.

Escribir

M.

_____
_____
_____
_____
_____
_____
_____
_____
_____
_____
_____
_____
_____
_____
_____
_____
_____
_____
_____

You can:

❏ Talk about school-related activities
❏ State and respond to opinions
❏ Present logical and persuasive arguments

____ pts. of 15

Writing Criteria	5 Points	3 Points	1 Point
Content	You provide abundant information about the advantages and disadvantages of wearing a school uniform.	You provide some information about the advantages and disadvantages of wearing a school uniform.	You provide very little information about the advantages and disadvantages of wearing a school uniform.
Communication	All the information in your sentences is organized and can be easily followed.	Most of the information is organized and can be easily followed.	Most of the information in your sentences is disorganized and hard to follow.
Accuracy	Your paragraph has few mistakes in grammar vocabulary.	Your paragraph has some mistakes in grammar and vocabulary.	Your paragraph has many mistakes in grammar and vocabulary.

Examen Lección 2

> **¡AVANZA!** **Goal:** Show that you can:
>
> - identify and explain relationships
> - compare personalities, attitudes, and appearance
> - describe things and people
> - use the long form of possessive adjectives
>
> - use comparatives
> - use comparatives with **más de/ menos de**
> - use superlatives

Escuchar

Test CD 2 Tracks 15, 16

A. Rosa está entrevistando a diferentes miembros de la comunidad para un artículo que tiene que escribir. Ahora entrevista a su mamá. Escucha la conversación y después completa las oraciones. (4 puntos)

1. Rosa va a escribir un artículo para _____.

2. La madre de Rosa se lleva bien con _____.

3. La madre de Rosa no tiene muchos problemas con la familia de su esposo porque _____.

4. La madre de Rosa discute más con _____.

B. Escucha el diálogo entre Rosa y su padre. Luego contesta las preguntas según el diálogo. (6 puntos)

1. ¿Por qué tiene sólo cinco minutos el padre de Rosa?

2. ¿Qué dice Rosa de la relación entre sus padres?

3. ¿Cuándo discuten los padres de Rosa?

4. Cuando los padres de Rosa discuten, ¿sobre qué es?

5. ¿Discutían más antes, o discuten más ahora? ¿Por qué?

6. Cuando los padres de Rosa discuten, ¿se enojan? ¿Se quedan enojados después? ¿Por qué?

Vocabulario y gramática

C. Cambia las expresiones subrayadas por una palabra que mejor explica la relación. (6 puntos)

1. <u>El padre de mi esposa</u> es inteligente.

2. <u>Los niños de mi hermano</u> son muy lindos.

3. <u>El esposo de mi hermana</u> tiene el pelo negro.

4. <u>La madre de su esposo</u> se llama Beatriz.

5. <u>El chico que va a ser el esposo</u> de mi prima es muy popular.

6. <u>Todas las personas en mi familia</u> son muy amables.

D. ¿Qué tipo de personas son? Escribe una oración sobre cada persona con el adjetivo que mejor describa su personalidad. (6 puntos)

1. **IRENE:** Casi nunca se enoja.

2. **JUAN:** Se lleva bien con todos.

3. **ENRIQUE:** Tiene miedo de hablar con la gente.

4. **CATRINA:** Siempre te dice lo que piensa.

5. **ELENA:** Le gusta dar regalos.

6. **ANTONIO:** No le gusta esperar.

E. Pilar no sabe qué pertenece a quién en la sala de clases. Ayúdala y contesta sus preguntas con el adjetivo posesivo correcto. (7 puntos)

1. ¿Ésta es tu silla?
Sí, _____.

2. ¿Y éste aquí es mi lápiz?
Sí, _____.

3. ¿Y estos papeles son de Rebeca?
Sí, _____.

4. Creo que la mochila es de Felipe, ¿no?
Sí, _____.

5. Y esos libros son de Felipe y Diana.
Sí, _____.

6. Las tareas de aqui, ¿son de ustedes?
Sí, _____.

7. Pero ¿estos son tus chocolates?
¡Sí, _____!

F. Los editores del periódico están hablando de su periódico, *El quincenal,* y del periódico de otra escuela, *El mensual.* ¿Cuál es mejor? Completa las oraciones con las palabras comparativas correctas. (11 puntos)

1. Nuestro periódico es ____ interesante ____ el periódico de ellos.

2. *El mensual* se publica una vez al mes. El nuestro dos veces al mes. Su periódico se publica ____ ____ el nuestro.

3. Su periódico es muy popular. *El quincenal* es muy popular también. Entonces, nuestro periódico es ____ popular ____ *El mensual.*

4. Trescientos cincuenta estudiantes leen *El quincenal.* Entonces, ____ ____ trescientos estudiantes leen *El quincenal.*

5. La fotógrafa de *El mensual* trabaja mucho. Irene, nuestra fotógrafa, trabaja mucho también. Entonces, la fotógrafa de *El mensual* trabaja ____ ____ Irene.

6. En su periódico hay diez escritores. Nosotros tenemos diez escritores también. Entonces nosotros tenemos ____ escritores ____ ellos.

7. *El quincenal* es de doce páginas. *El mensual* también es de doce páginas. Su periódico tiene ____ páginas ____ el periódico nuestro.

8. Nuestro periódico se publica hace quince años. Entonces, *El quincenal* tiene ____ ____ doce años de publicación.

9. Es interesante que nuestro mejor editor tiene 17 años. Su mejor editor tiene 19 años. Nuestro editor es ____ ____ el editor de *El mensual.*

10. Pero ____ ____ importante es que su periódico ganó seis premios. *El quincenal* ganó diez.

11. Entonces, ¿cuál es ____ ____ periódico? ¡*El quincenal!*

G. Rosa quiere conocerte mejor. Contesta sus preguntas con oraciones completas. (10 puntos)

1. ¿Vas a quedarte hoy después de las? ¿Por qué?

2. ¿Quién es el más joven de tu familia?

3. ¿Te llevas bien con tus compañeros de equipo? ¿Por qué?

4. ¿Qué es más interesante en tu opinión: un pájaro, un pez o un gato?

5. ¿Es preferible ir al banco o al consultorio? ¿Por qué?

Leer

Lee el correo electrónico que Antonio mandó a Inés. Luego, haz las actividades H e I.

Hola Inés,

No tengo mucho tiempo, pero quería escribirte un mensaje para decirte que ojalá que estuviera contigo ahora.

Como tengo más tiempo que tú, voy a salir del trabajo a las once para hacer algunas cosas para nuestra boda (*wedding*). Ya viene en algunas semanas. Increíble, ¿no?

Primero, voy al banco. Hay que sacar dinero antes de ir a la joyería. Voy con mi padrino para comprar nuestros anillos. Dice que está muy orgulloso de mí y que quiere acompañarme.

Tengo una cita en el consultorio del doctor Tormes a las doce y media. Espero que él llegue temprano porque no puedo quedarme mucho tiempo. Tengo que ir también al correo para mandar las invitaciones que hicimos el fin de semana pasado.

Discutimos anoche por teléfono cuando hablábamos de la luna de miel (*honeymoon*), y lo siento muchísimo. No quería enojarme tanto como lo hice, pero a veces los puntos de vista son diferentes.

Tú tenías razón – dos semanas en Andalucía son mejores que una semana en la playa. Sabes, cuando hablamos sinceramente, siempre nos entendemos bien al final de todo. Eres tan paciente conmigo cuando me enojo. Lo siento – y muchas gracias. ¡Tengo mucha suerte!

Te llamo esta noche. Besos. Antonio.

H. Completa las siguientes oraciones según el mensaje de Antonio. (6 puntos)

1. Inés es la _____ de Antonio.

2. Antonio va con _____ a recoger los anillos.

3. Después de su cita con el doctor, Antonio tiene que _____ .

4. Inés quiere ir a _____ para la luna de miel.

5. Antonio no quería _____ cuando discutían.

6. Al final de todo, ellos _____ .

I. Contesta las siguientes preguntas. (4 puntos)

1. ¿Por qué escribe Antonio este mensaje?

2. ¿Por qué quiere Antonio que el doctor llegue temprano?

3. ¿Por qué discutieron los novios?

4. ¿Cómo es Inés cuando Antonio se enoja?

Cultura

J. Completa las siguientes oraciones. (4 puntos)

1. La Universidad Autónoma de Santo Domingo es ____.

2. Los padrinos de una boda generalmente son ____.

3. Los padrinos de un bautizo frecuentemente son ____.

4. Julia Álvarez es ____.

K. Responde a las siguientes preguntas con oraciones completas. (6 puntos)

1. ¿Quién es Belkis Ramírez?

2. ¿Cuál es el papel de los padrinos de bautizo para sus ahijados?

3. ¿Cuál es el papel de los padrinos de boda en la familia de los nuevos esposos?

Hablar

L. Tu profesor(a) va a hacerte unas preguntas sobre ti y tu familia. Contesta en oraciones completas. (15 puntos)

1. ¿Cuál es tu apellido? Compáralo con el apellido saa.

2. ¿Tienes hermanos o hermanas? Compárate con ellos.

3. ¿Quién es el menos paciente de la clase? ¿el más paciente?

4. Yo tengo diez primos. Compara mi familia con la tuya.

5. ¿Estás orgulloso(a) de tu escuela? ¿Por qué?

Escribir

M. Escribe un párrafo donde comparas a las personas de una familia. Primero, piensa en las características (*characteristics*) de las persona. Luego, usa esta información para escribir tu párrafo. (15 puntos)

No olvides:

- Usar características que puedes comparar.
- Comparar características como edad, estatura (*height*), pelo, etc.
- Comparar tambien la personalidad (*personality*) de las personas.

¡AVANZA! _____ pts. of 100   Nota _____

¡Éxito! You have successfully accomplished all your goals for this lesson.

Review: Before moving to the next lesson, use your textbook to review:

❏ identifying and explaining relationships pp. 390–391
❏ comparing personalities, attitudes, and appearance p. 395
❏ describing things and people pp. 390–391
❏ using the long form of possessive adjectives p. 394
❏ using comparatives p. 395
❏ using comparatives with **más de/menos de** p. 397
❏ using superlatives p. 400

Escuchar

A.

1. _____

2. _____

3. _____

4. _____

> **You can:**
> ❏ Identify and explain relationships
>
> ____ pts. of 4

B.

1. _____

_____

2. _____

_____

3. _____

_____

4. _____

_____

5. _____

_____

6. _____

_____

> **You can:**
> ❏ Identify and explain relationships
>
> ____ pts. of 6

Vocabulario y gramática

C.

1. _____

2. _____

3. _____

4. _____

5. _____

6. _____

> **You can:**
> ❏ Use the long form of possessive adjectives
>
> ____ pts. of 6

D.

1. _____
2. _____
3. _____
4. _____
5. _____
6. _____

You can:
❑ Identify and explain relationships
❑ Describe things and people

____ pts. of 6

E.

1. _____
2. _____
3. _____
4. _____
5. _____
6. _____
7. _____

You can:
❑ Use long form of possessive adjectives

____ pts. of 7

F.

1. _____ _____
2. _____ _____
3. _____ _____
4. _____ _____
5. _____ _____
6. _____ _____
7. _____ _____
8. _____ _____
9. _____ _____
10. _____ _____
11. _____ _____

You can:
❑ Use comparatives
❑ Use comparatives with **más de/ menos de**
❑ Use superlatives

____ pts. of 11

G.

1. _____

_____

2. _____

_____

3. _____

_____

4. _____

_____

5. _____

_____

You can:
❏ Compare personalities, attitudes, and appearance
❏ Describe things and people
____ pts. of 10

Leer

H.

1. _____

2. _____

3. _____

4. _____

5. _____

6. _____

You can:
❏ Identify and explain relationships
____ pts. of 6

I.

1. _____

_____

2. _____

_____

3. _____

_____

4. _____

_____

You can:
❏ Identify and explain relationships
❏ Describe things and people
____ pts. of 4

Cultura

J.

1. _____

2. _____

3. _____

4. _____

> **You can:**
> ❑ Make a cultural connection with the Dominican Republic
>
> ____ pts. of 4

K.

1. _____

    _____

2. _____

    _____

3. _____

    _____

> **You can:**
> ❑ Make a cultural connection with the Dominican Republic
>
> ____ pts. of 6

Hablar

L.

> **You can:**
> ❑ Compare personalities, attitudes, and appearance   ____ pts. of 15

Speaking Criteria	5 Points	3 Points	1 Point
Content	You provide and demonstrate good use of appropriate vocabulary and grammar points studied in this lesson.	Some of your responses correspond to the questions and you demonstrate sufficient use of appropriate vocabulary and grammar points.	Few of your responses correspond to the topic and you do not demonstrate appropriate use of vocabulary and grammar uses.
Communication	All the information in your responses can be understood.	Most of the information in your responses can be understood.	Most of the information in your responses is difficult to understand.
Accuracy	Your responses have few mistakes in grammar and vocabulary.	Your responses have some mistakes in grammar and vocabulary.	Your responses have many mistakes in grammar and vocabulary.

Escribir

M.

_____
_____
_____
_____
_____
_____
_____
_____
_____
_____
_____
_____
_____
_____
_____
_____
_____
_____
_____
_____

You can:
- ❏ Identify and explain relationships
- ❏ Compare personalities, attitudes, and appearance
- ❏ Describe things and people
- ____ pts. of 15

Writing Criteria	5 Points	3 Points	1 Point
Content	You provide abundant information about the relationship among the different members of the family.	You provide some information about the relationship among the different members of the family.	You provide very little information about the relationship among the different members of your family.
Communication	All the information in your sentences is organized and can be easily followed.	Most of the information is organized and can be easily followed.	Most of the information in your sentences is disorganized and hard to follow.
Accuracy	Your paragraph has few mistakes in grammar vocabulary.	Your paragraph has some mistakes in grammar and vocabulary.	Your paragraph has many mistakes in grammar and vocabulary.

Examen Unidad 7

> **¡AVANZA!** **Goal:** Demonstrate that you have successfully learned to:
>
> • discuss school-related issues
> • state and respond to opinions
> • present logical and persuasive arguments
> • identify and explain relationships
> • compare personalities, attitudes, and appearance
> • describe things and people
> • use subjunctive with impersonal expressions
> • use impersonal expressions with **haya**
> • use **por** and **para**
> • use comparatives
> • use comparatives with **más de/menos de**
> • use the long form of possessive adjectives
> • use superlatives

Escuchar

Test CD 2 Tracks 17, 18

A. Rosa está hablando con Quico sobre su equipo de fútbol. Escucha el diálogo y completa cada oración. (5 puntos)

1. Las compañeras de Rosa son muy _____ .

2. La entrenadora está _____ .

3. Quico dice que están ganando porque _____ .

4. Quico no se queda a ver el partido porque _____ .

5. _____ es el fotógrafo.

B. Irene, la editora, y Luis, un periodista, están hablando sobre un artículo que van a publicar. Contesta las siguientes preguntas usando oraciones completas. (5 puntos)

1. ¿Por qué no quiere Irene publicar el artículo todavía?

2. ¿Qué piensa el señor García de Luis?

3. Según Luis, ¿por qué piensa así el señor García?

4. Según Irene ¿cómo es Luis?

5. ¿Por qué es necesario que Irene escriba este artículo?

Vocabulario y gramática

C. Reescribe las siguientes oraciones, usando una palabra en lugar de la frase subrayada. (5 puntos)

1. Mi <u>nombre de familia</u> es Sánchez.

2. Me encantan <u>las personas muy jóvenes</u>.

3. Por eso, siempre visito a <u>los hijos de mi hermana</u>.

4. <u>El esposo de mi hermana</u> es muy generoso.

5. Él me dio un acuario nuevo para mis <u>animales que viven en el agua</u>.

D. Lee cada oración de una joven y escribe una respuesta, usando **Es importante que, Es bueno que, Es malo que, Es preferible que and Es necesario que.** (8 puntos)

1. Mi hermano y yo no nos llevamos bien.

2. Mi mamá tiene paciencia conmigo.

3. Mis padres no saben dónde estoy.

4. A veces voy a lugares peligrosos.

5. No sé si mis amigos son siempre sinceros conmigo.

6. Tú siempre me explicas las cosas importantes.

7. Mis maestros están orgullosos de mí.

8. Hay galletas en la cocina.

E. Completa las siguientes oraciones con **por** o **para.** (5 puntos)

1. Para llegar a las playas de Punta Cana, primero tenemos que pasar _____ Santo Domingo.

2. Mi mamá trabaja _____ un banco en La Romana.

3. Durante las vacaciones de verano, vamos a viajar a Cuba _____ una semana.

4. _____ la señora Santanilla, comer comida saludable es muy importante.

5. Clemencia me mandó su intinerario _____ correo electrónico.

6. Este regalo es _____ el cumpleaños de mi sobrino.

7. Voy a salir _____ la escuela después de hablar con Nico.

8. Muchas gracias _____ hablar de este problema conmigo.

9. _____ lavarse la cabeza, se necesita champú.

10. Olvidé mi tarea en la escuela. _____ eso, tengo que hablar con la profesora ahora mismo.

F. Nora es la editora de un periódico. Habla con los escritores, fotógrafos y periodistas. Completa su diálogo usando la forma larga del adjetivo posesivo. (6 puntos)

—Alejandra, estas dos entrevistas son **1.** _____?

—Sí, Nora, son **2.** _____. Las completé esta tarde.

—Perfecto. Aquí en la página 18, hay un artículo sin nombre. ¿De quién es?

—Lo escribimos Belisario y yo. Es **3.** _____.

—Gracias, Efraín. ¿Y esta foto en la página 24? ¿Quién la tomó? ¿Tú, Mercedes?

—No, no es **4.** _____. La tomó Andrea. Es **5.** _____.

—Muy bien. Pablo y Daniel no están aquí ahora pero yo sé que escribieron dos artículos. ¿Saben ustedes cuáles son?

—Sí, Nora, estos artículos sobre los deportes acuáticos son **6.** _____.

G. Alfredo describe a sus parientes. Para cada descripción escribe una oración que compara a las personas. (8 puntos)

1. Yo tengo dos hermanos pero mi prima Elsa tiene seis.

2. Mi abuelo tiene ochenta años pero mi abuela tiena setenta.

3. Mi hermano es tímido. No hay nadie más en la famila tan tímido.

4. Mi papá es inteligente y mi mamá también.

5. A mi hermana no le gusta esperar. ¡Se enoja! Mi hermano no es como ella.

6. Yo escribo muchos articulos para el periódico escolar, y mi hermano tambien.

7. Mi hermano no hace muchas entrevistas. Yo sí.

8. Yo soy muy alto. Mi mamá, mi hermana y mis primas son bajas.

H. Escribe oraciones completas para comparar lo siguiente. (8 puntos)

1. Tres chicos: Miguel (bajo), Juan (alto) y Mateo (muy alto)

2. Una familia: Patricia (impaciente), sus parientes (pacientes)

3. Tres comidas: pescado (horrible), verduras (sabrosas), papas (muy sabrosas)

4. Tres amigos: Victor (come mucho), Bea (come poco), José (come poco)

Leer

Publicar un periódico escolar es una experiencia muy interesante y divertido. Puedes usar lo que sabes y aprender más. También además, puedes hacer algo que te gusta. ¡Busca a tus amigos y hagan un periódico escolar!

Lo primero es formar un buen equipo de trabajo. Un periódico necesita editores, periodistas, escritores y fotógrafos. Un estudiante a quien le gusta tomar fotos puede ser el fotógrafo.

También es preferible que tengas un profesor para ayudarte a tener todo organizao. Investiga quién les puede ayudar.

Después necesitas algunas cosas para hacer el periódico. Casi todas las escuelas tienen computadoras: es importante que las busques porque es más fácil preparar el periódico con una computadora. Es preferible que tengas software especial para poder hacer las páginas.

Luego, deben decidir cuántas páginas va a tener el periódico, cuándo lo van a publicar, dónde lo van a imprimir *(print)* y cuántos periódicos van a necesitar. Ahora, es necesario que haya dinero para el proyecto. Pregúntale al director de la escuela si les puede ayudar. Puedes vender el periódico o vender anuncios para ganar dinero.

Si no hay mucho dinero, puedes publicar tu periódico en Internet. Así no tienes que pagar. Además, más lectores *(readers)* van a poder leer los artículos y las entrevistas de tu periódico. Por eso, es necesario que la escuela esté conectada a Internet. También necesitas software para hacer tu periódico en Internet. ¡Buena suerte!

I. Completa las siguientes oraciones según el párrafo. (5 puntos)

1. Si piensas publicar un periódico escolar, la primera cosa que tienes que hacer es ____ .

2. ____ puede ayudarte a tener el periódico organizado para el projecto.

3. Con ____ es más fácil preparar el periódico.

4. Si quieres ganar dinero, puedes ____ .

5. Si piensas publicar el periódico por Internet, es necesario que la escuela esté conectada a Internet ____ .

J. Contesta las siguientes preguntas usando oraciones completas. (5 puntos)

1. ¿Por qué es bueno organizar un periódico escolar?

2. Menciona cuatro personas que trabajan para el periódico.

3. ¿A quiénes les puedes pedir ayuda?

4. ¿Cómo puedes tener más lectores?

5. ¿Para qué necesitas software?

Cultura

K. Completa las siguientes oraciones. (5 puntos)

1. El Faro a Colón está dedicado _____.

2. La República Dominicana comparte con _____ la isla de Hispaniola.

3. Los taínos eran _____.

4. Belkis Ramírez es una importante artista dominicana que _____.

5. La zona colonial en Santo Domingo es conocida por _____.

L. Contesta las siguientes preguntas. (5 puntos)

1. ¿Quién es Julia Álvarez?

2. ¿Quién es Charlie Simón?

3. ¿Por qué es conocido Los Tres Ojos?

4. ¿Qué tipo de cultura tienen los dominicanos?

5. Describe La Universidad Autónoma de Santo Domingo.

Hablar

M. Habla y las importancia de las buenas amistades. Usa algunos ejemplos de tu experiencia personal. (15 puntos)

Habla de las siguientes actividades. Di cuáles prefieres y por qué. Usa las expresiones **es preferible que, por un lado** y **sin embargo**.

- ser fotógrafo
- trabajar en un consultorio
- ser entrenador de deportes
- ser periodista

Escribir

N. Escribe un párrafo sobre el periódico de tu escuela o uno que tú quieres empezar. Menciona:

- el nombre del periódico, y cuántas veces al mes lo publican (o van a publicar)
- las personas que trabajan o van a trabajar en el periódico
- el tipo de artículos, entrevistas y noticias que publican (o van a publicar)
- cómo este periódico se compara con otros y si ganó (o va a ganar) premios. (15 puntos)

¡AVANZA! _____ pts. of 100 Nota _____

¡Éxito! You have successfully accomplished all your goals for this unit.

Review: Before moving to the next unit, use your textbook to review:

- ❏ discussing school-related issues pp. 366–367
- ❏ stating and responding to opinions pp. 366–367
- ❏ presenting logical and persuasive arguments p. 371
- ❏ using subjunctive with impersonal expressions p. 371
- ❏ using impersonal expressions with **haya** p. 373
- ❏ using **por** and **para** p. 376
- ❏ identifying and explaining relationships pp. 390–391
- ❏ comparing personalities, attitudes, and appearance p. 395
- ❏ describing things and people pp. 390–391
- ❏ using comparatives p. 395
- ❏ using comparatives with **mas de/menos de** p. 397
- ❏ using the long form of possessive adjectives p. 394
- ❏ using superlatives p. 400

Escuchar

A.

1. _____

2. _____

3. _____

4. _____

5. _____

> **You can:**
> ❑ compare personalities, attitudes, and appearance
> ❑ describe things and people
>
> ____ pts. of 5

B.

1. _____
   _____

2. _____
   _____

3. _____
   _____

4. _____
   _____

5. _____
   _____

> **You can:**
> ❑ state and respond to opinions
> ❑ present logical and persuasive arguments
>
> ____ pts. of 5

Vocabulario y gramática

C.

1. _____

2. _____

3. _____

4. _____

5. _____

> **You can:**
> ❑ identify and explain relationships
>
> ____ pts. of 5

D.

1. _____
2. _____
3. _____
4. _____
5. _____
6. _____
7. _____
8. _____

You can:
❑ use subjunctive with impersonal expressions
❑ use impersonal expressions with **haya**

____ pts. of 8

E.

1. _____ 6. _____
2. _____ 7. _____
3. _____ 8. _____
4. _____ 9. _____
5. _____ 10. _____

You can:
❑ use **por** o **para**

____ pts. of 5

F.

1. _____ 4. _____
2. _____ 5. _____
3. _____ 6. _____

You can:
❑ use long form of possessive adjectives

____ pts. of 6

G.

1. _____
2. _____
3. _____
4. _____
5. _____
6. _____
7. _____
8. _____

You can:
❑ use comparatives
❑ use comparatives with **más de/ menos de**
❑ use superlatives

____ pts. of 8

H.

1. _____

_____

2. _____

_____

3. _____

_____

4. _____

_____

You can:
❑ use comparatives
❑ use superlatives
____ pts. of 8

Leer

I.

1. _____

2. _____

3. _____

4. _____

5. _____

You can:
❑ discuss school-related issues
____ pts. of 5

J.

1. _____

_____

2. _____

_____

3. _____

_____

4. _____

_____

5. _____

_____

You can:
❑ describe things and people
____ pts. of 5

Cultura

K.

1. _____

2. _____

3. _____

4. _____

5. _____

> **You can:**
> ❑ make a cultural connection to the Dominican Republic
>
> ____ pts. of 5

L.

1. _____

2. _____

3. _____

4. _____

5. _____

> **You can:**
> ❑ make a cultural connection to the Dominican Republic
>
> ____ pts. of 5

Hablar

M.

> **You can:**
> ❑ discuss school-related issues
> ❑ state and respond to opinions   ____ pts. of 15

Speaking Criteria	5 Points	3 Points	1 Point
Content	All of your responses correspond to the questions and you provide and demonstrate good use of appropriate vocabulary and grammar studied in this lesson.	Some of your responses correspond to the questions and you demonstrate sufficient use of appropriate vocabulary and grammar.	Few of your responses correspond to the topic and you do not demonstrate appropriate use of vocabulary and grammar.
Communication	All the information in your responses can be understood.	Most of the information in your responses can be understood.	Most of the information in your responses is difficult to understand.
Accuracy	Your responses have few mistakes in grammar and vocabulary.	Your responses have some mistakes in grammar and vocabulary.	Your responses have many mistakes in grammar and vocabulary.

Escribir

N.

_____

_____

_____

_____

_____

_____

_____

_____

_____

_____

_____

_____

_____

_____

_____

_____

_____

_____

You can:
- ❑ discuss school-related issues
- ❑ describe things and people

____ pts. of 15

Writing Criteria	5 Points	3 Points	1 Point
Content	You provide abundant information about the school newspaper.	You provide some information about the school newspaper.	You provide very little information about the school newspaper.
Communication	All the information in your sentences is organized and can be easily followed.	Most of the information is organized and can be easily followed.	Most of the information in your sentences is disorganized and hard to follow.
Accuracy	Your paragraph has few mistakes in grammar vocabulary.	Your paragraph has some mistakes in grammar and vocabulary.	Your paragraph has many mistakes in grammar and vocabulary.

Examen Lección 1

> **¡AVANZA!** **Goal:** Demonstrate that you have successfully learned to:
>
> • express what is true and not true
> • discuss environmental problems and solutions
> • talk about future actions or events
> • use spelling change of **-ger** verbs
> • use other impersonal expressions
> • use future tense

Escuchar

Test CD 2 Tracks 19, 20

A. Toni y Éster están hablando sobre la contaminación que hay en Quito. Escucha el diálogo y luego completa las siguientes oraciones. (5 puntos)

1. Según Toni, en la ciudad de Quito no hay _____.

2. El smog está dañando _____ y la salud de todos.

3. Según Éster, la destrucción es en la ciudad y también en _____.

4. Cada año una persona usa siete _____.

5. Pueden conservar diez mil árboles al día, si todos los ecuatorianos _____.

B. Toni y Éster tienen una idea de cómo ellos pueden ayudar con la contaminación y la destrucción de la naturaleza. Escucha el diálogo y luego contesta las preguntas siguientes con oraciones completas. (5 puntos)

1. ¿Qué club quieren empezar Toni y Éster en su escuela?

2. ¿Qué deben enseñar a sus amigos?

3. ¿Cuál es la responsabilidad de los ecuatorianos?

4. ¿Qué van a poner en el parque?

5. ¿Qué debe proteger la gente? ¿De qué?

Vocabulario y gramática

C. Escribe la palabra e frase relacionada con el medío ambiente que describen las siguientes oraciones. (8 puntos)

1. Es algo que nos protege de los rayos peligrosos del sol; el smog la está dañando.

2. Son cosas que necesitamos que vienen de la naturaleza, como el agua y el petróleo.

3. Cuando las aguas y los aires están sucios, hay mucho de esto.

4. Cuando la gente corta demasiados árboles en los bosques, éste es el problema que resulta.

5. Son animales que podemos perder para siempre si no los protegemos.

6. Si los consumidores quieren producir menos basura, pueden hacer esto con algunos materiales.

7. Son personas que trabajan sin ganar dínero.

8. Es una palabra que significa «casi no».

D. Juan e Isabel vieron un cartel sobre la conservación del medio ambiente. Para cada dibujo, escribe una oración para decir qué es y qué debemos hacer con ello para tener un medio ambiente sano. (8 puntos)

1.

4.

2.

5.

6.

3.

7.

8.

E. ¿Cuánto sabes sobre el medio ambiente? Usa el presente del subjuntivo o el presente del indicativo para saber qué dicen las oraciones. (10 puntos)

proteger	dañar	perder	haber	hacer
ser	estar	recoger	reciclar	poder

1. Es verdad que el smog _____ la capa de ozono.

2. No es cierto que los incendios forestales _____ causados por animales.

3. Es cierto que muy pocas personas _____ el papel en sus oficinas.

4. No es verdad que la gente siempre _____ la basura en los parques.

5. No es cierto que el gobierno _____ mucho por el medio ambiente.

6. Es verdad que el mundo _____ mucho de los recursos naturales diariamente.

7. No es cierto que _____ reciclaje en todas las ciudades de Ecuador.

8. Es verdad que muchos animales de las Islas Galápagos _____ en peligro de extinción.

9. No es verdad que nosotros no _____ ayudar.

10. No es cierto que _____ la naturaleza suficientemente.

F. El mundo va a ser diferente en el futuro. Reescribe las siguientes oraciones en el futuro para decir lo que estas personas van a hacer que no hacen ahora. (8 puntos)

1. Nosotros no limpiamos la comunidad.

2. Yo no recojo basura en el parque con unos amigos.

3. Ana y Clarita no escriben sobre el smog para el periódico escolar.

4. Jaime no les enseña a sus hermanitos la importancia de reciclar.

5. Estos dos chicos no leen artículos sobre el medio ambiente.

6. Manuela y yo no conservamos energía en casa.

7. Yo no compro un vehículo híbrido.

8. Nosotros no somos responsables.

G. Contesta las siguientes preguntas sobre tu comunidad y el medio ambiente con oraciones completas. (6 puntos)

1. ¿Qué haces tú para proteger el medio ambiente?

2. ¿Por qué es importante que haya un programa para reciclar papel, cartón, o vidrio en tu escuela?

3. ¿Trabajas de voluntario(a) en tu comunidad? ¿Qué haces y adónde?

Leer

Lee el siguiente artículo sobre el medio ambiente que publicó el periódico La Hora de Quito. Luego haz los ejercicios H e I.

Una de las primeras cosas que enseñan a los estudiantes ecuatorianos es que el Ecuador es un país con muchos recursos naturales. Pero hoy, poco a poco, vemos la destrucción de esta naturaleza. Pronto, si no aprendemos a proteger el medio ambiente, nuestros maestros y profesores ecuatorianos deberán enseñar otra cosa.

Vivimos y comemos gracias a la naturaleza y sus recursos. Hay muchas especies de animales y de plantas en el Ecuador y por eso es conocido nuestro país. Pero estamos perdiendo rápidamente nuestra fauna y nuestra flora. Tanto en el campo como en la ciudad, cada día hay menos recursos naturales necesarios para la vida del hombre y son de menor calidad.

La deforestación de los bosques es uno de los problemas de medio ambiente del país. Es sumamente importante que todos sepan que el bosque es necesario para mantener un aire puro en el planeta. El desarrollo (development) de la agricultura y de la industria es causa de una desaparición (disappearance) de los bosques. Muchas compañías también son una causa de la contaminación del aire. Por eso hay menos aire puro.

Es cierto que en nuestro país, muchas veces la gente usa las aguas como basureros. Estas aguas están más contaminadas que nunca y la demanda de agua limpia para el consumidor es mayor que nunca.

La mejor técnica que se puede utilizar para proteger el medio ambiente es la educación. ¡Sí! Educar a todas las personas y explicar todo lo que daña el planeta. Es importante que aprendamos lo que puede pasar si no ayudamos a proteger nuestro planeta. ¡No es verdad que podamos esperar hasta mañana! ¡Hay que empezar hoy!

H. Completa las siguientes oraciones según el texto. (5 puntos)

1. Todos los estudiantes ecuatorianos aprenden que su país tiene _____ .

2. Pero estamos perdiendo _____ de Ecuador.

3. Una causa de la deforestación es _____ .

4. Muchas veces las personas usan las aguas _____ .

5. _____ es la mejor técnica para proteger el medio ambiente.

I. Contesta las siguientes preguntas basadas en la lectura. (5 puntos)

1. ¿Por qué los maestros y profesores ecuatorianos deberán enseñar otra cosa?

2. ¿Por qué son importantes los bosques?

3. ¿Qué pasa con el aire cuando hay deforestación?

4. ¿Cómo son las aguas en Ecuador hoy día?

5. Según la lectura, ¿cuándo es importante que aprendamos a proteger el planeta?

Cultura

J. Completa las siguientes oraciones. (4 puntos)

1. En Venezuela hay programas para proteger _____.

2. Las _____ gigantes viven en las Islas Galápagos.

3. El jaguar y otros animales de Centroamérica y Sudamérica están en peligro de extinción por _____.

4. Una artesanía típica de Ecuador son _____.

K. Contesta las preguntas con oraciones completas. (6 puntos)

1. ¿Qué se presenta en Quito, Ecuador, en el mes de las Artes?

2. ¿Qué es el Inti Raymi, y quién es Aya Uma?

3. En la obra *Taita Sol de Oswaldo* Viteri se ven la mezcla de dos culturas, ¿cuáles son?

Hablar

L. Habla en detalle sobre los problemas del medio ambiente en tu comunidad, lo que haces para ayudar, lo que debemos hacer todos y qué pasará en el futuro si no lo hacemos. (15 puntos)

Escribir

M. Escribe un párrafo sobre la importancia para jóvenes de hacer trabajo voluntario. Menciona:

- la importancia de hacer trabajo voluntario
- los tipos de trabajo voluntario que un(a) estudiante puede hacer
- los beneficios de hacer trabajo voluntario
- las recompensas *(rewards)* de hacer trabajo voluntario (15 puntos)

¡AVANZA! _____ pts. of 100   Nota _____

¡Éxito! You have successfully accomplished all your goals for this lesson.

Review: Before moving to the next lesson, use your textbook to review:

❏ expressing what is true and not true p. 427
❏ discussing environmental problems and solutions pp. 422–423
❏ talking about future actions or events p. 432
❏ using spelling change of **-ger** verbs p. 426
❏ using other impersonal expressions p. 427
❏ using future tense p. 432

Escuchar

A.

1. _____

2. _____

3. _____

4. _____

5. _____

> **You can:**
> ❏ discuss environmental problems and solutions
>
> ____ pts. of 5

B.

1. _____

_____

2. _____

_____

3. _____

_____

4. _____

_____

5. _____

_____

> **You can:**
> ❏ discuss environmental problems and solutions
>
> ____ pts. of 5

Vocabulario y gramática

C.

1. _____   5. _____

2. _____   6. _____

3. _____   7. _____

4. _____   8. _____

> **You can:**
> ❏ discuss environmental problems and solutions
>
> ____ pts. of 8

D.

1. _____

2. _____

3. _____

4. _____

5. _____

6. _____

7. _____

8. _____

You can:

❏ discuss environmental problems and solutions

____ pts. of 8

E.

1. _____

2. _____

3. _____

4. _____

5. _____

6. _____

7. _____

8. _____

9. _____

10. _____

You can:

❏ express what is true and not true

❏ use spelling change of **-ger** verbs

❏ other impersonal expressions

____ pts. of 10

F.

1. _____

2. _____

3. _____

4. _____

5. _____

6. _____

7. _____

8. _____

You can:

❏ talk about future actions or events

❏ use future tense

____ pts. of 8

G.

1. _____

_____

2. _____

_____

3. _____

_____

You can:
❏ discuss environmental problems and solutions
____ pts. of 6

Leer

H.

1. _____

2. _____

3. _____

4. _____

5. _____

You can:
❏ discuss environmental problems and solutions
____ pts. of 5

I.

1. _____

_____

2. _____

_____

3. _____

_____

4. _____

_____

5. _____

_____

You can:
❏ discuss environmental problems and solutions
____ pts. of 5

Cultura

J.

1. _____   3. _____

2. _____   4. _____

You can:

❑ make a cultural connection to Ecuador

____ pts. of 4

K.

1. _____

_____

_____

You can:

❑ make a cultural connection to Ecuador

____ pts. of 6

2. _____

_____

_____

3. _____

_____

_____

Hablar

L.

You can:

❑ discuss environmental problems and solutions

❑ talk about future actions or events

❑ use future tense   ____ pts. of 15

Speaking Criteria	5 Points	3 Points	1 Point
Content	All of your responses correspond to the topic and you demonstrate good use of appropriate vocabulary and grammar points studied in this lesson.	Some of your responses correspond to the topic and you demonstrate sufficient use of appropriate vocabulary and grammar points.	Few of your responses correspond to the topic and you do not demonstrate appropriate use of vocabulary and grammar uses.
Communication	All the information in your responses can be understood.	Most of the information in your responses can be understood.	Most of the information in your responses is difficult to understand.
Accuracy	Your responses have few mistakes in grammar and vocabulary.	Your responses have some mistakes in grammar and vocabulary.	Your responses have many mistakes in grammar and vocabulary.

Nombre _____ Clase _____ Fecha _____

Escribir

M.

_____

_____

_____

_____

_____

_____

_____

_____

_____

_____

_____

_____

_____

_____

_____

_____

You can:
❏ express what is true and not true
❏ discuss environmental problems and solutions
❏ talk about future actions or events
❏ use spelling change of **-ger** verbs
❏ use other impersonal expressions
❏ use future tense
_____ pts. of 15

Writing Criteria	5 Points	3 Points	1 Point
Content	You provide abundant information about the importance of doing volunteer work for high school students.	You provide some information about the importance of doing volunteer work for high school students.	You provide very little information about the importance of doing volunteer work for high school students.
Communication	All the information in your sentences is organized and can be easily followed.	Most of the information is organized and can be easily followed.	Most of the information in your sentences is disorganized and hard to follow.
Accuracy	Your paragraph has few mistakes in grammar vocabulary.	Your paragraph has some mistakes in grammar and vocabulary.	Your paragraph has many mistakes in grammar and vocabulary.

Examen Lección 2

> ⟨¡AVANZA!⟩ **Goal:** Demonstrate that you have successfully learned to:
>
> • talk about professions
> • predict future events and people's actions or reactions
> • ask and respond to questions about the future
> • use impersonal **se**
> • use future tense of irregular verbs
> • use pronouns

Escuchar

Test CD 2 Tracks 21, 22

A. El señor Ruiz está hablando con su hija sobre su profesión. Escucha lo que dice y completa las siguientes oraciones según lo que escuchaste. (6 puntos)

1. El padre de Ester decidió ser profesor durante su _____.

2. La madre del Sr. Ruiz pensó que estudiar para profesor no era una buena idea porque _____.

3. El padre del Sr. Ruiz le dijo que si le gustaba ser profesor, _____.

4. _____ del Sr. Ruiz le dijo que la profesión de profesor era honorable.

5. El Sr. Ruiz estudió para profesor porque siempre le gustó _____.

6. El Sr. Ruiz le dice a su hija que si estudia lo que le gusta, _____.

B. Toni está hablando con su madre sobre qué profesión él va a estudiar en la universidad. Escucha el diálogo y luego contesta las preguntas con oraciones completas. (4 puntos)

1. ¿Cuáles son las profesiones que Toni quiere o quiso estudiar?

2. ¿Por qué quiere o quiso estudiar estas profesiones?

3. ¿Está contenta su mamá al final? ¿Por qué?

4. ¿Sabe Toni, definitivamente, qué quiere estudiar? ¿Cómo lo sabes?

Vocabulario y gramática

C. Los estudiantes hablan con la consejera (*counselor*) sobre las profesiones que pueden estudiar en la universidad. Escribe las sugerencias que le da la consejera a cada estudiante. (5 puntos)

1. Micaela: Dibujo bien y me interesan los edificios modernos.

2. Tomás: Quisiera curar a los enfermos en el hospital.

3. Marisa: Me gustaría ayudar a los animales.

4. Carlos: Me interesa la salud de los dientes.

5. Yasmina: Pinto bien.

D. Describe las siguientes profesiones con oraciones completas. (5 puntos)

1. cartero(a)

2. policía(a)

3. bombero(a)

4. carpintero(a)

5. diseñador(a)

E. Escribe anuncios clasificados usando el **se impersonal** y las pistas de abajo. (5 puntos)

1. vender / equipo de bucear / buena calidad

2. necesitar / veterinarios / clínica de animales pequeños

3. abogado / Quito / hablar / español y quechua

4. comprar / joyas / oro / plata / mejores precios

5. buscar / programador / software

F. Emilia es muy negativa. Convéncele de que el futuro será mejor. Responde a sus oraciones negativas con oraciones positivas en el futuro. (7 puntos)

1. No quiero estudiar.

2. No sé qué hacer con mi vida.

3. Mis profesores no me dicen nada sobre las profesiones.

4. No hay muchos trabajos en nuestra comunidad.

5. Tú y yo no tenemos experiencia de trabajo.

6. Nunca vienes conmigo a la biblioteca.

7. Nunca hago lo que me gusta.

G. Patricia está trabajando de ayudante en una clínica los sábados. Contesta las preguntas que Patricia le hace a la doctora Roja con un mandato familiar. Cambia los nombres por pronombres cuando sea necesario. (10 puntos)

1. ¿Qué hago ahora, Dra. Roja? ¿Les doy de comer a los animales?

(No) _____

2. Doctora, ¿le traigo la medicina para el pajaro Dimi?

(Sí) _____

3. La Sra. Pérez vino por su perro Rodolfo. ¿Le llevo el perro?

(Sí) _____

4. Los doctores Ortiz y Camacho quieren verla en su oficina. ¿Qué les digo?

_____

5. Dra. Roja, terminé todo mi trabajo. Son las 5:00. ¿Me voy a casa?

(No) _____

H. Contesta las siguientes preguntas usando oraciones completas en español. (8 puntos)

1. ¿Qué países hispanohablantes querrás visitar un día?

2. ¿En que trabajarás en el futuro?

3. ¿Qué podrás hacer en diez años que no puedes hacer hoy día?

4. ¿Qué harás esta noche después de regresar a casa?

Leer

Lee el texto siguiente sobre los volcanes en Ecuador y haz los ejercicios I e J.

Ecuador es un país montañoso con muchísimos volcanes, pero todavía no es un destino muy conocido para practicar el alpinismo. Las altas montañas andinas de Ecuador están situadas en la «Avenida de los Volcanes». De cada lado de la Avenida, hay un grupo de montañas: se llaman la Oriental y la Occidental. La mayoría de los habitantes de esta región montañosa, incluyendo muchas comunidades indígenas quechua, trabajan en la agricultura.

Algunos volcanes, como el Cotopaxi, son jóvenes y se pueden escalar bastante fácilmente. Otros volcanes más antiguos tienen hielo y mucha roca y son mucho más difíciles de escalar. Durante sus primeros días en Ecuador, no se recomienda escalar los volcanes grandes. Es mejor entrenarse primero en montañas bajas. Después de algunos días de entrenamiento, se puede empezar con volcanes pequeños como el Iliniza Norte, el Imbabura o el Pichincha. Se puede llegar fácilmente a estas montañas desde Quito. En cada una de ellas, hay hostales pequeños de donde se puede empezar la escalada. Luego, estará listo para escalar uno de los cuatro volcanes clásicos de Ecuador: Chimborazo, Cotopaxi, Cayambe y Tungurahua. Las rutas son peligrosas, y deberán salir con un guía. Los alpinistas con más experiencia podrán escalar montañas aún más difíciles, como el Antisana, el Altar y el Iliniza Sur.

I. Completa las siguientes oraciones según la lectura. (5 puntos)

1. En la «Avenida de los Volcanes» están _____.

2. _____ viven en la «Avenida de los Volcanes».

3. Los volcanes jóvenes se pueden _____.

4. Después de algunos días en Ecuador, _____ volcanes pequeños.

5. Los _____ podrán escalar montañas mas altas.

J. Contesta las siguientes preguntas usando oraciones completas. (5 puntos)

1. ¿Qué es «La Avenida de los Volcanes»?

2. ¿Qué se debe hacer antes de escalar los volcanes?

3. ¿Por qué los volcanes antiguos son más difíciles de escalar?

4. ¿Qué necesitas para subir las rutas más peligrosas?

5. ¿Quién podrá escalar el Antisana? ¿Por qué?

Cultura

K. Completa las siguientes oraciones. (5 puntos)

1. En la pintura *Lugar natal* se ve una ciudad que parece estar entre _____ .

2. Iván Vallejo es conocido porque fue el primer ecuatoriano _____ .

3. Vallejo lo hizo sin _____ .

4. Yucef Merhi es de _____ .

5. En Ecuador la palabra _____ quiere decir **alpinismo**.

L. Todas estas oraciones son falsas. Corrígelas usando oraciones completas.
(5 puntos)

1. ¿Qué son los concursos intercolegiales y cómo ayudan a los estudiantes ecuatorianos a preparar para el futuro?

2. ¿Qué profesión(es) tenía Iván Vallejo antes de ser alpinista?

3. ¿Qué profesión(es) tiene Yucef Merhi?

4. ¿Quién es Eduardo Kingman?

5. ¿Cuál es una característica de su trabajo?

Hablar

M. Tu profesor te va a hacer varias preguntas sobre diferentes profesiones. Contesta con oraciones completas. (15 puntos)

1. ¿Qué profesión te gustaría estudiar y por qué?

2. ¿Qué profesión u oficio tiene tu padre/madre? ¿Están contentos con su profesión?

3. Nombra una profesión que para ti es aburrida y una profesión que para ti es divertida. Explica por qué.

4. ¿Prefieres una profesión donde ganas mucho dinero o una profesión que te gusta? Explica por qué.

5. ¿En tu opinión, qué es más divertido, escalar montañas o ser buceador? ¿Por qué?

Escribir

N. Escribe un párrafo sobre tu vida futura. Describe:
- la profesión tendrás y qué estudiarás para hacerla
- dónde vivirás después de la graduación
- qué harás después: ¿te casarás? ¿tendrás hijos? ¿cuántos?
- cómo será tu vida en general

(15 puntos)

¡AVANZA!   _____ pts. of 100   Nota _____

¡Éxito! You have successfully accomplished all your goals for this lesson.

Review: Before moving to the next lesson, use your textbook to review:

❏ talking about professions pp. 446–447
❏ predicting future events and people's actions or reactions pp. 446–447
❏ asking and responding to questions about the future p. 451
❏ using impersonal **se** p. 450
❏ using future tense of irregular verbs p. 451
❏ using pronouns p. 456

Escuchar

A.

1. _____

2. _____

3. _____

4. _____

5. _____

6. _____

> **You can:**
> ❏ talk about professions
> ____ pts. of 6

B.

1. _____

_____

2. _____

_____

3. _____

4. _____

_____

> **You can:**
> ❏ talk about professions
> ❏ predict future events and people's reactions
> ❏ use future tense
> ____ pts. of 4

Vocabulario y gramática

C.

1. _____

_____

2. _____

_____

3. _____

_____

4. _____

_____

5. _____

_____

> **You can:**
> ❏ talk about professions
> ____ pts. of 5

D.

1. _____

2. _____

3. _____

4. _____

5. _____

> **You can:**
> ❏ talk about professions
>
> ____ pts. of 5

E.

1. _____

2. _____

3. _____

4. _____

5. _____

> **You can:**
> ❏ use impersonal **se**
>
> ____ pts. of 5

F.

1. _____

2. _____

3. _____

4. _____

5. _____

6. _____

7. _____

> **You can:**
> ❏ use future tense of irregular verbs
>
> ____ pts. of 7

G.

1. _____

2. _____

3. _____

4. _____

5. _____

> **You can:**
> ❏ use pronouns
>
> ____ pts. of 10

H.

1. _____

   _____

2. _____

   _____

3. _____

   _____

4. _____

   _____

You can:
- ❏ talk about professions
- ❏ predict future events and people's actions or reactions

____ pts. of 8

Leer

I.

1. _____
2. _____
3. _____
4. _____
5. _____

You can:
- ❏ talk about professions
- ❏ predict future events and people's actions or reactions

____ pts. of 5

J.

1. _____

   _____

2. _____

   _____

3. _____

   _____

4. _____

   _____

5. _____

   _____

You can:
- ❏ talk about professions
- ❏ predict future events and people's actions or reactions

____ pts. of 5

Cultura

K.

1. _____

2. _____

3. _____

4. _____

5. _____

> **You can:**
> ❑ you can make a cultural connection with Ecuador
>
> ____ pts. of 5

L.

1. _____

2. _____

3. _____

4. _____

5. _____

> **You can:**
> ❑ you can make a cultural connection with Ecuador
>
> ____ pts. of 5

Hablar

M.

> **You can:**
> ❑ talk about professions
>
> ____ pts. of 15

Speaking Criteria	5 Points	3 Points	1 Point
Content	All of your responses correspond to the questions and you demonstrate good use of appropriate vocabulary and grammar studied in this lesson.	Some of your responses correspond to the questions and you demonstrate sufficient use of appropriate vocabulary and grammar.	Few of your responses correspond to the topic and you do not demonstrate appropriate use of vocabulary and grammar.
Communication	All the information in your responses can be understood.	Most of the information in your responses can be understood.	Most of the information in your responses is difficult to understand.
Accuracy	Your responses have few mistakes in grammar and vocabulary.	Your responses have some mistakes in grammar and vocabulary.	Your responses have many mistakes in grammar and vocabulary.

Escribir

N.

_____

_____

_____

_____

_____

_____

_____

_____

_____

_____

_____

_____

_____

_____

_____

_____

_____

_____

_____

You can:

❏ Talk about professions

❏ Predict future events

❏ Use future tense of irregular verbs

____ pts. of 15

Writing Criteria	5 Points	3 Points	1 Point
Content	You provide abundant information about your future life.	You provide some information about your future life.	You provide very little information about your future life.
Communication	All the information in your paragraph is organized and can be easily and followed.	Most of the information in your paragraph is organized and can be easily followed.	Most of the information in your paragraph is disorganized and hard to follow.
Accuracy	Your paragraph has few mistakes in grammar and vocabulary.	Your paragraph has some mistakes in grammar and vocabulary.	Your paragraph has many mistakes in grammar and vocabulary.

Examen Unidad 8

¡AVANZA! **Goal:** Demonstrate that you have successfully learned to:

- express what is true and not true
- discuss environmental problems and solutions
- talk about future actions or events
- talk about professions
- predict future events and people's actions or reactions
- ask and respond to questions about the future
- use spelling change of **-ger** verbs
- use other impersonal expressions
- use impersonal **se**
- use future tense of regular and irregular verbs
- use pronouns

Escuchar

Test CD 2 Tracks 23, 24

A. Silvia escucha un anuncio de la Universidad Bolívar. Completa las siguientes oraciones según lo que oíste. (6 puntos)

1. Si vienes y escuchas a los profesores esta noche, sabrás _____.

2. Según este anuncio los mejores _____ salieron de esta universidad.

3. Podrás descubrir la cura del cáncer si _____.

4. La escuela de _____ es la mejor del país.

5. Si estudias en la Universidad Bolívar, puedes _____.

6. La Universidad Bolívar está en _____.

B. Guillermo escucha una noticia sobre la contaminación. Escucha la narración y luego contesta las preguntas siguientes con oraciones completas. (4 puntos)

1. ¿Cuál es la ciudad más contaminada de Ecuador?

2. ¿Por qué hay mucho smog en Quito?

3. ¿Quién protege el medio ambiente? ¿Cómo lo sabes?

4. ¿Qué pasará si la gente no hace nada ahora?

Vocabulario y gramática

C. Miguel trabaja en un bosque cerca de Quito y explica lo que hace. Escribe cinco oraciones usando las palabras entre paréntesis. (5 puntos)

1. (voluntarios) (venir) (limpiar) (bosque)

2. (haber) (bosque) (contaminación)

3. (poder) (respirar) (aire puro)

4. (deforestación) (contaminación) (terminar) (naturaleza)

5. (proteger) (especies) (animales) (peligro de extinción)

D. Ester y Ernesto están mirando una revista (*magazine*) que habla de diferentes profesiones. Describe las siguientes profesiones. (10 puntos)

1. agente de bolsa

2. cartero(a)

3. bombero(a)

4. carpintero(a)

5. dentista

6. piloto

7. veterinario(a)

8. andinista

9. policía

10. arquitecto

E. Completa las siguientes oraciones con el verbo apropiado del banco de palabras. Usa el indicativo o el subjuntivo del verbo. (5 puntos)

respirar	reciclar	haber	recoger	dañar

1. No es verdad que todos aquí en Quito _____ la basura.

2. Es verdad que la contaminación por la industria _____ el medio ambiente.

3. No es verdad que todos _____ papel y vidrio.

4. Es cierto que _____ programas de reciclaje en algunas ciudades.

5. No es cierto que nosotros _____ aire puro en las ciudades grandes.

F. Muchas cosas son necesarias para proteger el medio ambiente. Escribe oraciones completas en el futuro que explican qué cosas necesarias van a hacer las personas indicadas en paréntesis. (10 puntos)

1. Hay que apagar los incendios forestales. (los bomberos)

2. Hay que proteger los bosques. (nosotros)

3. Hay que venir a Quito para trabajar de voluntario. (tú)

4. Hay que poder respirar aire puro. (yo)

5. Hay que decir algo sobre nuestra responsabilidad. (los políticos)

6. Hay que ayudar. (usted)

7. Hay que hacer más. (nosotros)

8. Hay que tener dos basureros en la casa: uno para la basura, otro para el reciclaje. (todos)

9. Hay que vivir en un mundo sano y limpio. (yo)

10. Hay que venir a Quito para trabajar de voluntario. (mi familia)

G. Lorenzo y tú están organizando el «Día de las profesiones». Contesta las preguntas de Lorenzo y cambia los nombres por pronombres. (10 puntos)

1. ¿Podrás mandarle una invitación a tu tío bombero?

2. ¿Ya llamaste e invitaste al buceador Pepe Garza?

3. ¿Te contestó el correo electrónico la Dra. Ruiz?

4. ¿Invito a las diseñadoras Victoria y Mariana?

5. ¿Les doy un almuerzo a los invitados?

6. ¿Nos traerás tus libros sobre las profesiones?

7. ¿Me puedes contar la historia de ese alpinista famoso?

8. ¿Le diste la dirección a los agentes de viajes?

9. ¿Te pondrás un traje?

10. ¿Nos ponemos corbatas Julio y yo?

Leer

Lee la descripción de las Islas Galápagos y luego haz los ejercicios que siguen.

Las Islas Galápagos están en el Océano Pacífico, cerca de Ecuador. Para los buceadores, son un lugar único, extraordinario, pero no muy conocido. El mundo submarino de las Islas Galápagos es muy interesante y todavía misterioso. Los científicos están investigando y es cierto que descubrirán muchas especies de animales y plantas que ahora no se concocen.

Bucear en las Galápagos es una experiencia fascinante. Existen allá algunas compañías para buceadores profesionales desde hace más de diez años. En las Islas Galápagos, lo más interesante es la mezcla única de animales marinos (una de cada cuatro especies sólo vive allá). Y estos animales no tienen miedo de los buceadores. Allá, el buceador esta en compañía de tortugas marinas, manta rayas, pingüinos, leones marinos, delfines *(dolphins)* y numerosas especies de tiburones *(sharks)*, incluyendo tiburones martillo *(hammerhead)* y tiburones ballena *(whale)*. También hay cientos de especies de peces tropicales; muchos de estos peces sólo se pueden ver en estas islas.

H. Completa las siguientes oraciones según la lectura. (5 puntos)

1. Para los buceadores, _____ son un destino no muy conocido.

2. Las Islas Galápagos son interesantes porque _____ .

3. Las Islas Galápagos tienen _____ .

4. Hay muchas _____ de peces tropicales en estas islas.

5. En las Islas Galápagos, existen compañías de _____ .

I. Contesta las siguientes preguntas usando oraciones completas. (5 puntos)

1. ¿Dónde están las Islas Galápagos?

2. Para alguien que le interesa el buceo, ¿cómo es el destino de las Islas Galápagos?

3. Según la lectura, ¿qué es lo más interesante de estas islas?

4. ¿Qué tipos de animales se pueden ver las aguas de las Galápagos?

5. ¿Qué se descubrirá allí en el futuro?

Cultura

J. Completa las siguientes oraciones. (5 puntos)

1. El artista Oswaldo Viteri es conocido por sus collages que incluyen _____.

2. En la pintura *Lugar natal* de Eduardo Kingman, vemos _____.

3. En Ecuador, hay muchos tipos de _____: se pueden ver mas de 700 especies de animales.

4. Yucef Merhi es un _____ de Venezuela.

5. La tortuga gigante que pesa más de 400 libras vive en _____.

K. Contesta las siguientes preguntas sobre la geografía y la cultura de Ecuador. Usa oraciones completas. (5 puntos)

1. ¿Cuál es la capital de Ecuador?

2. ¿Qué son los concursos intercolegiales de Ecuador?

3. ¿Cómo se refleja la influencia indígena en la cultura de Ecuador?

4. ¿Cuál es una comida típica ecuatoriana?

5. ¿Qué fiesta se celebra cada mes de junio en Ecuador?

Hablar

L. Habla con tu profesor sobre tu futuro. Explica las cosas que harás después de terminar la escuela, qué profesión tendrás, qué harás para mejorar el mundo, etc. (15 puntos)

UNIT 8
Unit Test

Escribir

M. Escribe un párrafo sobre lo que está pasando en nuestro planeta con la contaminación. Menciona:

- las cosas que causan la contaminación
- lo que está pasando con los recursos naturales por la contaminación
- los problemas que tiene el mundo por la contaminación
- qué se debe para proteger el medio ambiente y qué pasará si no lo hacemos. (15 puntos)

¡AVANZA! _____ pts. of 100   Nota _____

¡Éxito! You have successfully accomplished all your goals for this unit.

Review: Before moving to the next unit, use your textbook to review:

❏ expressing what is true and not true p. 427
❏ discussing environmental problems and solutions pp. 422–423
❏ talking about future actions or events p. 432
❏ talking about professions pp. 446–447
❏ predicting future events and people's actions or reactions pp. 446–447
❏ asking and responding to questions about the future p. 451
❏ using spelling change of **-ger** verbs p. 426
❏ using other impersonal expressions p. 427
❏ using future tense p. 432
❏ using impersonal **se** p. 450
❏ using future tense of irregular verbs p. 451
❏ using pronouns p. 456

Nombre _____ Clase _____ Fecha _____

Escuchar

A.

1. _____

2. _____

3. _____

4. _____

5. _____

6. _____

You can:

❏ talk about professions

____ pts. of 6

B.

1. _____

_____

2. _____

_____

3. _____

_____

4. _____

_____

You can:

❏ discuss environmental problems and solutions

____ pts. of 4

Vocabulario y gramática

C.

1. _____

_____

2. _____

_____

3. _____

_____

4. _____

_____

5. _____

_____

You can:

❏ discuss environmental problems and solutions

____ pts. of 5

D.

1. _____
2. _____
3. _____
4. _____
5. _____
6. _____
7. _____
8. _____
9. _____
10. _____

You can:
❏ talk about professions

____ pts. of 10

E.

1. _____ 4. _____
2. _____ 5. _____
3. _____

You can:
❏ use other impersonal expressions

____ pts. of 5

F.

1. _____
2. _____
3. _____
4. _____
5. _____
6. _____
7. _____
8. _____
9. _____
10. _____

You can:
❏ use future tense of regular and irregular verbs

____ pts. of 10

G.

1. _____

2. _____

3. _____

4. _____

5. _____

6. _____

7. _____

8. _____

9. _____

10. _____

You can:
❏ use pronouns

____ pts. of 10

Leer

H.

1. _____

2. _____

3. _____

4. _____

5. _____

You can:
❏ make a cultural connection to Ecuador

____ pts. of 5

I.

1. _____

_____

2. _____

_____

3. _____

_____

4. _____

_____

5. _____

_____

You can:
❏ make a cultural connection to Ecuador

____ pts. of 5

Cultura

J.

1. _____

2. _____

3. _____

4. _____

5. _____

You can:

❏ make a cultural connection to Ecuador

_____ pts. of 5

K.

1. _____

2. _____

3. _____

4. _____

5. _____

You can:

❏ make a cultural connection to Ecuador

_____ pts. of 5

Hablar

L.

You can:

❏ talk about your future
❏ use future tense of regular and irregular verbs

_____ pts. of 15

Speaking Criteria	5 Points	3 Points	1 Point
Content	All of your responses correspond to the topic and you provide and demonstrate good use of appropriate vocabulary and grammar studied in this lesson.	Some of your responses correspond to the topic and you demonstrate sufficient use of appropriate vocabulary and grammar.	Few of your responses correspond to the topic and you do not demonstrate appropriate use of vocabulary and grammar.
Communication	All the information in your responses can be understood.	Most of the information in your responses can be understood.	Most of the information in your responses is difficult to understand.
Accuracy	Your responses have few mistakes in grammar and vocabulary.	Your responses have some mistakes in grammar and vocabulary.	Your responses have many mistakes in grammar and vocabulary.

Escribir

M.

_____

_____

_____

_____

_____

_____

_____

_____

_____

_____

_____

_____

_____

_____

_____

_____

_____

_____

You can:
❏ discuss environmental problems and solutions
❏ talk about future actions or events
❏ use future tense
❏ use future tense of irregular verbs
____ pts. of 15

Writing Criteria	5 Points	3 Points	1 Point
Content	You provide abundant information about pollution and the problems in our environment and what can be done.	You provide some information about pollution and the problems in our environment and what can be done.	You provide very little information about pollution and the problems in our environment and what can be done.
Communication	All the information in your sentences is organized and can be easily followed.	Most of the information is organized and can be easily followed.	Most of the information in your sentences is disorganized and hard to follow.
Accuracy	Your paragraph has few mistakes in grammar and vocabulary.	Your paragraph has some mistakes in grammar and vocabulary.	Your paragraph has many mistakes in grammar and vocabulary.

Examen Final

¡AVANZA! **Goal:** Demonstrate that you have successfully learned to:

- identify and describe ingredients
- talk about food preparation and follow recipes
- give instructions and make recommendations
- order meals in a restaurant
- talk about meals and dishes
- describe food and service
- tell others what to do and what not to do
- make suggestions
- talk about movies and how they affect you
- make future plans
- express hopes and wishes
- influence others
- extend and respond to invitations
- talk about technology

- discuss school-related issues
- state and respond to opinions
- present logical and persuasive arguments
- identify and explain relationships
- compare personalities, attitudes, and appearance
- describe things and people
- express what is true and not true
- discuss environmental problems and solutions
- talk about future actions or events
- talk about professions
- predict future events and people's actions or reactions
- ask and respond to questions about the future

Escuchar

Test CD 2 Tracks 25, 26

A. Sofía está en la cocina con su mamá. Escucha la conversación y después completa las oraciones siguientes seleccionando la respuesta correcta. (6 puntos)

1. La madre de Sofía le explica a su hija cómo _____.
   a. preparar una ensalada
   b. hervir papas
   c. cortar zanahorias
   d. mezclar ingredientes para una sopa

2. Un ingrediente que no tiene el plato es _____.
   a. mayonesa
   b. sal
   c. ajo
   d. aceite

3. Éste es un plato _____.
   a. que se puede servir sobre la lechuga
   b. tiene muchos ingredientes y es difícil a hacer
   c. que es cocido en caldo
   d. tiene un sabor agrio

B. Nora y Fina se sientan a mirar un álbum de familia. Escucha la conversación y luego lee las preguntas. Selecciona la respuesta correcta. (4 puntos)

1. ¿Qué relación tiene Tomás con Fina?
   a. Es el hermano de su esposo.
   b. Es el hijo de su hermano.
   c. Es el hermano de Fina.
   d. Es el padre de su esposo.

2. ¿Quiénes son Rosa y Felipe?
   a. Son los cuñados de Inés.
   b. Son los sobrinos de Inés.
   c. Son los padrinos de Inés.
   d. Son hermanos de Fina.

Vocabulario y gramática

C. Sofía llama por teléfono a su amigo Joaquín. Completa la conversación con la respuesta correcta. (4 puntos)

1. ¿Puedo hablar con Joaquín? Soy Sofía.
   a. Un momento, Sofía.
   b. Un momento, por favor.
   c. Sofía no está. No importa.
   d. Sofía no está. Lo siento.

2. Hola, Sofía. Te llamo para invitarte a ir al cine. ¿Quieres ir?
   a. Sí, me encantaría ir contigo. Tengo tiempo libre hoy día.
   b. Sí, me encantaría invitarte. Tengo mucho dinero.
   c. Sí, me encantaría llamarte. Tengo un teléfono celular.
   d. Sí, me encantaría ir con Celia.

3. ¿Quieres ver una película de terror?
   a. No, tú me das miedo.
   b. No, me dan miedo.
   c. No, ella me da miedo.
   d. No, me dio miedo.

4. Entonces, vamos a ver *El profesor loco*. Es una comedia.
   a. Perfecto. Pienso ser profesor.
   b. Perfecto. Esas películas me dan miedo.
   c. Perfecto. Esas películas me hacen reír.
   d. Perfecto. Al director le gusta reír.

D. Patricia y Félix están estudiando los problemas del medio ambiente. Para cada palabra, di cuál es el problema y una solución posible, seleccionando la respuesta correcta. (8 puntos)

1. el bosque
   a. el vidrio/conservar
   b. los incendios forestales/ser más responsable
   c. el smog/reciclar
   d. la contaminación/ser más amable

2. la capa de ozono
   a. el smog/la deforestación
   b. la basura/el petróleo
   c. el smog/los vehículos híbridos
   d. el petróleo/el reciclaje

3. los árboles
   a. la deforestación/reciclar
   b. el aire puro/el smog
   c. el aire puro/vehículos híbridos
   d. la naturaleza/reciclar

4. la naturaleza
   a. la basura/voluntarios para limpiar los parques
   b. un recurso natural/el petróleo
   c. el cartón y el vidrio/proteger las especies en peligro de extinción
   d. el consumidor/la selva

E. La señora Vega les habla a un grupo de estudiantes de las diferentes profesiones. Lee lo que dice y completa sus oraciones seleccionando la respuesta correcta. (6 puntos)

1. Si te gusta _____ en dramas y comedias, debes considerar la profesión de _____.
   a. editar/programador(a)
   b. filmar/guionista
   c. escribir/camarógrafo(a)
   d. actuar/actor

2. Si te gusta hacer dibujos de casas y edificios y tienes talento para las _____, ¿por qué no consideras estudiar para ser _____?
   a. artes/ingeniero(a)
   b. artes/arquitecto(a)
   c. matemáticas/artista
   d. matemáticas/arquitecto

3. Si te gusta la ropa y _____, creo que puedes ganarte la vida como _____.
   a. la madera/carpintero(a)
   b. viajar/agente de bolsa
   c. la moda/diseñador(a)
   d. dibujar/cartero(a)

4. Si te gusta _____ y estar con los jóvenes, te gustaría la profesión de _____.
   a. enseñar/director(a)
   b. editar/profesor(a)
   c. enseñar/profesor(a)
   d. escribir/periodista

5. Si te gustan las _____, la mejor profesión para ti es _____.
   a. matemáticas/político(a)
   b. investigaciones/científico(a)
   c. matemáticas/dentista
   d. investigaciones/doctor(a)

6. ¿Te encantan los _____? Pues, ¿por qué no estudias para ser _____?
   a. animales/piloto(a)
   b. aviones/periodista
   c. animales/veterinario
   d. documentales/editor

F. La profesora habla con sus estudiantes sobre cómo combatir la contaminación y proteger el medio ambiente. Completa las oraciones siguientes seleccionando la respuesta correcta. (6 puntos)

1. Es _____ que todos _____.
   a. verdad/reciclar
   b. importante/reciclemos
   c. verdad/reciclemos
   d. importante/reciclábamos

2. Es _____ que la deforestación _____ un problema serio. ¿Cómo podemos ayudar?
   a. cierto/sea
   b. imposible/fue
   c. imposible/era
   d. cierto/es

3. Es bueno que en los parques _____ voluntarios _____ recoger basura.
   a. haya/para
   b. hay/para
   c. había/por
   d. hubo/por

4. Es verdad que la capa de ozono _____ causa del smog. _____ vehículos híbridos.
   a. se daña por/Usemos
   b. se dañe por/Usemos
   c. se daña para/Usamos
   d. se dañe para/Usamos

5. Muy pocas personas reciclan. Es _____ que todos _____ en el reciclaje.
   a. importante/participamos
   b. necesario/participaban
   c. necesario/participaban
   d. necesario/participemos

6. _____ que siempre _____ nuestros recursos naturales.
   a. Ojalá/conservamos
   b. Hay/conservaremos
   c. Ojalá/conservemos
   d. Es bueno/conservábamos

G. Unos estudiantes hicieron letreros (signs) para poner en la escuela y en los parques de la ciudad, pero hay un problema: ¡unos tienen errores! Selecciona los letreros que son correctos. (8 puntos)

1. **a.** ¡No dañen el medio ambiente, protéjanlo!
   b. ¡No dañan el medio ambiente, lo protejan!
   c. ¡No dañas el medio ambiente, protégelo!
   d. ¡No dañen el medio ambiente, lo protejan!

2. **a.** ¡Recojas la basura y la pone en el basurero!
   b. ¡Recoge la basura y ponla en el basurero!
   c. ¡Recoge la basura y la pones en el basurero!
   d. ¡Recoges la basura y póngala en el basurero!

3. **a.** ¡Sea responsable! Trabaja de voluntario y haga algo por la nauraleza.
   b. ¡Sean responsable! Trabaja de voluntario y hagan algo por la naturaleza.
   c. ¡Sé responsable! Trabaja de voluntario y haz algo por la naturaleza.
   d. ¡Es responsable! Trabaja de voluntario y hace algo por la naturaleza.

4. **a.** Ayuda usted a limpiar nuestros parques. ¡Sé voluntario!
   b. Ayuden usted a limpiar nuestros parques. ¡Sean voluntario!
   c. Ayude usted a limpiar nuestros parques. ¡Sea voluntario!
   d. Ayude usted a limpiar nuestros parques. ¡Esté voluntario!

H. Ya llega el fin del año escolar y Sofía, Joaquín y otros amigos están hablando de las vacaciones. Completa las oraciones siguientes con la respuesta correcta. (5 puntos)

1. **Sofía:** En una semana _____.
   a. no habrá más clases y estaremos de vacàciones
   b. no hay más clases y estuvimos de vacaciones
   c. no haya más clases y estábamos de vacaciones
   d. no había más clases y estamos de vacaciones

2. **José:** Joaquín, ¿ _____ este verano? ¿ _____ durante las vacaciones?
   a. Adónde irás/Qué harás
   b. Adónde irá/Qué hará
   c. Adónde irán/Qué harán
   d. Adónde va/Qué hace

3. **Joaquín:** Pues, _____. Es un secreto.
   a. no les saldré adónde voy
   b. no les pondré adónde voy
   c. no les diré adónde voy
   d. no les vendré adónde voy

4. **Sofía:** ¿Por qué es un secreto, Joaquín? ¡ _____!
   a. Nos dices, por favor
   b. Nos lo dices, por favor
   c. Dígannoslo, por favor
   d. Dínoslo, por favor

5. **Joaquín:** Está bien. _____. ¡Voy a Cancún!
   a. Mis vacaciones harán mejores de las de Uds.
   b. Mis vacaciones estarán mejores tan las de Uds.
   c. Mis vacaciones será mejores como las de Uds.
   d. Mis vacaciones serán mejores que las de Uds.

I. Sofía y Joaquín están hablando de sus exámenes finales y de sus profesores. Completa las comparaciones seleccionando la respuesta correcta. (8 puntos)

1. **Sofía:** ¡Uy! Hoy tuve dos exámenes y mañana _____. Tengo historia, ciencias y matemáticas.
   a. tengo menos de tres
   b. tengo más de dos
   c. tengo tantos exámenes como hoy
   d. tengo menos exámenes que hoy

2. **Joaquín:** Pues yo _____: español, ciencias y matemáticas.
   a. tuve tantas exámenes como tú
   b. tengo tan exámenes como tú
   c. tengo tantos exámenes como tú
   d. tendré más exámenes que tú

3. **Sofía:** Sí, pero mi profesor de matemáticas _____ tu profesor. Sus exámenes son dificilísimos.
   a. es más difícil como
   b. es tan difícil que
   c. es más difícil que
   d. es tanto difícil como

4. **Joaquín:** ¡Ah, pero mi profesora de español _____ tu profesor de matemáticas! Sus exámenes también son muy difíciles.
   a. es tanto difícil como
   b. es tan difícil como
   c. es tanta difícil como
   d. es más difícil como

Leer

Anoche fueron los premios Arieles en México y hoy se publicó en el periódico el discurso (*speech*) que dio Pedro Páramo Galves al aceptar su premio.

Muchas gracias a todos. Muchas gracias por este honor tan grande de recibir el Ariel.

Quisiera dar las gracias a mi esposa e hijos por su paciencia conmigo; y a los actores y actrices con quienes trabajé. Carlos, Marisol y Teresa nunca se cansaron cuando las escenas se tenían que repetir tres, cuatro, cinco y seis veces. ¡Qué paciencia, amigos! También quiero dar las gracias al director Humberto Gamboa, el mejor director de cine de este país. No importa qué película se filma con él, siempre sabe explicar perfectamente qué tenemos que hacer. También sabe hacer los mejores efectos especiales, especialmente en esta película, *Hombres de otro planeta*. Gracias, Humberto. Ahora, gracias al guionista, Mario Torres, por escribir la mejor película del año. Mario, ojalá que estés aquí esta noche. También, quiero dar las gracias a mis compañeros de trabajo por ser sinceros y generosos. Finalmente, quiero decirles, y es importante que sepan, que éste es mi primer premio después de 15 años filmando películas. Nunca pensé que iba a ganar este premio.

Nunca se deben perder las esperanzas (*hope*). Buenas noches.

J. Lee las siguientes oraciones incompletas y selecciona la letra que mejor complete cada oración. (3 puntos)

1. La persona que recibe este premio es un _____.
a. director
b. actor
c. camarógrafo
d. guionista

2. Probablemente, Marisol, Carlos, y Teresa son _____.
a. actores
b. su esposa e hijos
c. guionistas
d. directores

3. La pelicula que ganó el premio probablemente es _____.
a. un documental
b. un drama
c. una película de ciencia ficción
d. una comedia

K. Selecciona la letra que mejor responda a cada pregunta. (3 puntos)

1. Segun Pedro Páramo, ¿quiénes tuvieron mucha paciencia con él?
a. Su esposa e hijos
b. Los actores y actrices
c. Marisol, Carlos y Teresa
d. Su esposa, sus hijos, y los actores

2. ¿Quién dirigió *Homhres de otro planeta*?
a. Mario Torres
b. Humberto Gamboa
c. No sabemos
d. Pedro Páramo Galves

3. ¿Por qué es importante este premio para Pedro Páramo?
a. Nunca ganó un premio antes.
b. Porque es importante que todos lo sepan.
c. Porque el Ariel es tan importante como el Óscar.
d. Porque él nunca perdió las esperanzas.

Cultura

L. Completa las siguientes oraciones seleccionando la respuesta correcta. (5 puntos)

1. Las Islas Galápagos están en el Océano Pacífico y tienen _____.
   a. muchos hoteles y playas turísticas   **c.** arquitectura colonial
   b. ruinas incas   **d.** especies protegidas

2. Los taínos eran indígenas de _____.
   a. las islas del Caribe   **c.** Perú y Ecuador
   b. México   **d.** Chile

3. Isabel Allende, una _____ chilena, _____ *La casa de los espíritus*.
   a. escritora/escribió   **c.** artista/pintó
   b. periodista/escribió   **d.** directora/filmó

4. Una lengua indígena que se habla en Ecuador es _____.
   a. náhuatl   **c.** taína
   b. quechua   **d.** chicano

5. En España, llaman _____ a unas porciones pequeñas de comida.
   a. tacos   **c.** ticos
   b. tapas   **d.** churros

M. Selecciona la oración cierta. (4 puntos)

1. **a.** La capital de España es Barcelona.
   b. Agosto es el mes de las artes en Quito, Ecuador.
   c. Inti Raymi es un festival de comida española.
   d. La universidad más antigua de las Américas está en México.

2. **a.** En el restaurante Sobrino de Botín puedes comer el mejor cocido madrileño.
   b. En Ecuador, comen muchos churros con chocolate caliente.
   c. En España, usualmente, cenan entre las 6 y 7 de la noche.
   d. El Greco era un pintor dominicano.

3. **a.** Belkis Ramírez era un pintor español.
   b. El papel de los padrinos en el mundo hispano es muy especial.
   c. La Estación Científica Charles Darwin está en la República Dominicana.
   d. Charlie Simón, María Blanchard y Gibert 'Magu' Luján son poetas.

4. **a.** Antonio Gaudí era un famoso arquitecto de Ecuador.
   b. La naturaleza muerta es una pintura de objetos inanimados como flores y frutas.
   c. Wilmer Valderrama es un actor español.
   d. La Ciudad Colonial es la parte antigua de Madrid.

Hablar

N. Tu profesor quiere saber lo que vas a hacer este verano. Usando el futuro dile adónde irás, con quién y por cuánto tiempo. Menciona cómo llegarás allí y dile, también, qué harás. (15 puntos)

Escribir

o. Escribe un párrafo sobre la amistad. En tu opinión, ¿cuáles son las cualidades importantes que tú buscas en un amigo? Debes de usar algunas expresiones que usan el subjuntivo. Usa las siguientes preguntas como guía.

- ¿Qué es un amigo(a)?
- ¿Qué cualidades son importantes en un(a) amigo(a)?
- ¿Tienes tú un buen amigo(a)? ¿Quién es? ¿Tiene él/ella las cualidades que mencionaste?
- ¿Por qué es este amigo(a) diferente a otros(as) amigos(as) tuyos(as)? (15 puntos)

¡AVANZA!   _____ pts. of 100   Nota _____

¡Éxito! You have successfully accomplished all your goals for units 5–8:

Review: Before moving to the next level, use your textbook to review:

- ❏ identifying and describing ingredients pp. 254–255
- ❏ talking about food preparation and following recipes pp. 254–255
- ❏ giving instructions and making recommendations pp. 259, 264
- ❏ ordering meals in a restaurant pp. 278–279
- ❏ talking about meals and dishes pp. 278–279
- ❏ describing food and service pp. 278–279, 288
- ❏ telling others what to do and what not to do pp. 315, 320
- ❏ making suggestions p. 314
- ❏ talking about movies and how they affect you pp. 310–311
- ❏ making future plans pp. 334–335
- ❏ expressing hopes and wishes pp. 339, 344
- ❏ influencing others pp. 334–335
- ❏ extending and responding to invitations pp. 334–335
- ❏ talking about technology pp. 334–335

- ❏ discussing school-related issues pp. 366–367
- ❏ stating and responding to opinions p. 371
- ❏ presenting logical and persuasive arguments pp. 366–367
- ❏ identifying and explaining relationships pp. 390–391
- ❏ comparing personalities, attitudes, and appearance p. 395
- ❏ describing things and people pp. 390–391
- ❏ expressing what is true and not true p. 427
- ❏ discussing environmental problems and solutions pp. 422–423
- ❏ talking about future actions or events p. 432
- ❏ talking about professions pp. 446–447
- ❏ predicting future events and people's actions or reactions p. 456
- ❏ asking and responding to questions about the future p. 451

Escuchar

A.

1. a   b   c   d

2. a   b   c   d

3. a   b   c   d

B.

1. a   b   c   d

2. a   b   c   d

Vocabulario y gramática

C.

1. a   b   c   d

2. a   b   c   d

3. a   b   c   d

4. a   b   c   d

D.

1. a   b   c   d

2. a   b   c   d

3. a   b   c   d

4. a   b   c   d

You can:
- [ ] talk about food preparation and follow recipes

____ pts. of 6

You can:
- [ ] identify and explain relationships

____ pts. of 4

You can:
- [ ] talk about movies and how they affect you

____ pts. of 4

You can:
- [ ] discuss environmental problems and solutions

____ pts. of 8

E.

1. a   b   c   d
2. a   b   c   d
3. a   b   c   d
4. a   b   c   d
5. a   b   c   d
6. a   b   c   d

You can:
❏ talk about professions

____ pts. of 6

F.

1. a   b   c   d
2. a   b   c   d
3. a   b   c   d
4. a   b   c   d
5. a   b   c   d
6. a   b   c   d

You can:
❏ discuss environmental problems and solutions
❏ use subjunctive with impersonal expressions
❏ use other impersonal expressions

____ pts. of 6

G.

1. a   b   c   d
2. a   b   c   d
3. a   b   c   d
4. a   b   c   d

You can:
❏ use affirmative and negative commands

____ pts. of 8

H.

1. a   b   c   d

2. a   b   c   d

3. a   b   c   d

4. a   b   c   d

5. a   b   c   d

You can:
❏ use future tense

____ pts. of 5

I.

1. a   b   c   d

2. a   b   c   d

3. a   b   c   d

4. a   b   c   d

You can:
❏ use comparatives

____ pts. of 8

Leer

J.

1. a   b   c   d

2. a   b   c   d

3. a   b   c   d

You can:
❏ talk about movies

____ pts. of 3

K.

1. a   b   c   d

2. a   b   c   d

3. a   b   c   d

You can:
❏ talk about movies

____ pts. of 3

Cultura

L.

1. a   b   c   d
2. a   b   c   d
3. a   b   c   d
4. a   b   c   d
5. a   b   c   d

> **You can:**
> ❏ talk about culture in Spanish-speaking countries
>
> ____ pts. of 5

M.

1. a   b   c   d
2. a   b   c   d
3. a   b   c   d
4. a   b   c   d

> **You can:**
> ❏ talk about culture in the Spanish-speaking countries
>
> ____ pts. of 4

Hablar

N.

> **You can:**
> ❏ use future tense
> ____ pts. of 15

Speaking Criteria	5 Points	3 Points	1 Point
Content	All of your responses correspond to the questions and you provide and demonstrate good use of appropriate vocabulary and grammar studied in these units.	Some of your responses correspond to the questions and you demonstrate sufficient use of appropriate vocabulary and grammar.	Few of your responses correspond to the topic and you do not demonstrate appropriate use of vocabulary and grammar.
Communication	All the information in your responses can be understood.	Most of the information in your responses can be understood.	Most of the information in your responses is difficult to understand.
Accuracy	Your responses have few mistakes in grammar and vocabulary.	Your responses have some mistakes in grammar and vocabulary.	Your responses have many mistakes in grammar and vocabulary.

Escribir

o.

_____

_____

_____

_____

_____

_____

_____

_____

_____

_____

_____

_____

_____

_____

_____

_____

_____

_____

_____

You can:

❑ identify and explain relationships

❑ use subjunctive

____ pts. of 15

Writing Criteria	5 Points	3 Points	1 Point
Content	You provide abundant information about friendship.	You provide some information about friendship.	You provide very little information about friendship.
Communication	All the information in your paragraph is organized and can be easily followed.	Most of the information is organized and can be easily followed.	Most of the information in your paragraph is disorganized and hard to follow.
Accuracy	Your paragraph has few mistakes in grammar and vocabulary.	Your paragraph has some mistakes in grammar and vocabulary.	Your paragraph has many mistakes in grammar and vocabulary.

FINAL EXAM

Answer Keys

Lección Preliminar Answer Key

EXAMEN LECCIÓN PRELIMINAR

Escuchar

A
1. alto, pelirrojo, atlético y estudioso
2. Chile
3. conocer a Raúl
4. mañana/viernes
5. mucha tarea

B
1. Raúl está un poco cansado. Él come un sándwich de pollo.
2. Luci come una manzana. No tiene hambre.
3. Marta es una chica rubia y bonita.
4. Luci presenta Marta a Raúl porque Marta quiere conocer a él.
5. Luci y Marta van al primer partido de fútbol porque a Marta le gusta mucho el fútbol.

Vocabulario y gramática

C
1. leer
2. me gusta
3. correos
4. mirar
5. un rato
6. concierto
7. quieres
8. siento
9. un partido
10. cine

D
1. Me gusta la hamburguesa pero no me gusta el pescado.
2. A mí no me gustan los frijoles pero me gusta la ensalada.
3. A mí me gustan las frutas. Especialmente me gusta la naranja.
4. ¿A tu familia le gusta la carne? No. A nosotros nos gusta el pollo.

E
1. voy
2. quiere
3. vamos
4. sirve
5. son
6. almuerzan
7. está
8. queremos
9. puedo
10. volvemos

F
1. estás
2. estoy
3. Tengo
4. Es
5. tiene
6. Es
7. tiene
8. está
9. tenemos
10. tienes

G
1. miran
2. escucha
3. juegan
4. escribe
5. lee
6. haces

H Answers will vary.

Leer

I
1. A Fernando le gusta salir a caminar.
2. A Fernando le gusta el teatro, la música y el arte.
3. A Fernando le gustan los deportes.
4. A Fernando le gusta pasar un rato con Felipe.
5. A Fernando le gusta nadar y tomar el sol.

J
1. Fernando es alto y tiene el pelo negro. Según sus padres, es desorganizado y un poco perezoso. Según sus amigos es inteligente e interesante.
2. No le gusta el piano.
3. Felipe es bajo e inteligente. Les gusta pasar un rato juntos.
4. Van a la playa en Venezuela y nadan y toman el sol. En invierno van a Vermont a esquiar.
5. A Fernando le gusta el pescado y las frutas y verduras.

Hablar

K Answers will vary.

Escribir

L Answers will vary.

Unidad 1 Answer Key

EXAMEN LECCIÓN 1

Escuchar

A 1. Laura está nerviosa porque no tiene su boleto.
2. Laura va a visitar a sus primos.
3. La madre de Lucas es agente de viajes.
4. Lucas dice que Laura puede hablar con su mamá.
5. La madre de Lucas puede venderle un boleto a Laura.
6. Pedro le pide a Laura que lo ayude hacer las maletas.

B 1. Lo primero que debe hacer Pedro es ver si su vuelo sale a la hora correcta.
2. El auxiliar de vuelo le va a pedir su boleto y su pasaporte.
3. Tiene que hacer cola para subir al avión.
4. Pedro tiene media hora para llegar a la puerta.

Vocabulario y gramática

C 1. Los pasajeros facturan el equipaje.
2. El hombre pasa por seguridad.
3. Los pasajeros buscan sus maletas.
4. Los estudiantes toman un taxi.
5. El chico va a tomar un autobús.

D 1. vacaciones
2. agencia de viajes
3. ida y vuelta
4. pasaporte
5. itinerario
6. confirmar
7. tarjeta de embarque
8. auxiliar de vuelo
9. traje de baño
10. maleta

E 1. lo
2. La
3. lo
4. la
5. te

F 1. nos
2. le
3. les
4. me
5. les

G 1. X
2. X
3. a
4. X
5. a

Leer

H 1. Falso. El que viaja es Gerardo.
2. Cierto.
3. Falso. El vuelo sale dentro de un poco más de cuarenta y cinco minutos.
4. Cierto.
5. Falso. Gerardo piensa leer una revista antes del vuelo.
6. Falso. Gerardo busca una tienda para comprar un regalo para su prima Sofía.

I 1. Gerardo viaja a Costa Rica para visitar a la familia de sus papás.
2. Gerardo tiene que pasar por seguridad. También tiene que comprar un regalo para su prima Sofía.
3. Le gusta estar en la puerta temprano porque así se siente mucho más tranquilo.
4. Gerardo tiene setenta y cinco minutos (una hora y quince minutos) antes de que salga el avión.

Cultura

J 1. decorativas
2. el optimismo, la tranquilidad, la felicidad
3. los niños
4. miles de mariposas
5. la especie de mariposa más famosa de Costa Rica.

K 1. Se refiere a la tendencia de los costarricenses de poner **-tico** al final de sus palabras.
2. Las usaba para transportar el café.
3. caminar por jardines tropicales, observar el volcán de Arenal, jugar en las aguas termales
4. «Pura vida.»
5. Porque la naturaleza está protegida y se puede observar muchas especies nativas del país.

Hablar

L Answers will vary.

Escribir

M Answers will vary.

Unidad 1 Answer Key

EXAMEN LECCIÓN 2

Escuchar

A 1. C
2. F; Felipe les mandó tarjetas a todos sus amigos.
3. F; Los padres de Mariana le dieron dinero a su hermano para comprar regalos.
4. C
5. C
6. F; Mariana nadó en la piscina del hotel.

B 1. Cuando llegó Geraldo al hostal, no encontró a nadie en la recepción a ayudarlo.
2. Geraldo pagó con dinero en efectivo porque el señor no tomó su tarjeta de crédito.
3. Le dio la llave incorrecta y no hay cama.
4. *Answers may vary.* No pienso que Geraldo va a usar la agencia de viajes la próxima vez, porque su experiencia fue horrible.

Vocabulario y gramática

C 1. Elisa y sus amigos acamparon.
2. Juan José fue a pescar/pescó.
3. Ustedes hicieron una reservación en un hotel.
4. Tú visitaste un museo.
5. Héctor dio una caminata.

D 1. tomar fotos
2. un mercado
3. hacer una reservación
4. pagar con una tarjeta de crédito
5. regatear

E 1. cuánto
2. Cuál
3. Qué
4. quién
5. Cómo

F Answers may vary. Sample answers:
1. Fui de vacaciones con mi familia.
2. Pasamos las noches en una habitación doble de un hostal.
3. Fuimos a pescar, hicimos una excursión y nadamos.
4. Yo vi el museo nacional y un gran mercado.
5. No compré recuerdos porque no regateé.

G 1. Yo <u>fui</u> de vacaciones con me familia.
2. Y tú, Alicia, ¿qué <u>hiciste</u>?
3. Yo <u>visité</u> a mis tíos en el campo.
4. ¡<u>Fue</u> muy divertido!

5. ¿Ustedes <u>fueron</u> al campo también?
6. No, nosotros no <u>viajamos</u>.
7. Nosotros <u>estudiamos</u> todo el verano.
8. Pero Santiago y Javier <u>acamparon</u>.
9. ¡Qué divertido! Yo no <u>acampé.</u>
10. Mis hermanos y yo <u>dimos</u> caminatas los fines de semana.

H Answers may vary.

Leer

I 1. C
2. F, Hay cinco hijos en la familia.
3. C
4. F, No tiene mucho dinero.
5. F, Quiere comprar anillos para sus amigas. Quiere comprar otra artesanía típica para sus amigos.

J 1. Está en Quepos como estudiante de intercambio.
2. Dieron caminatas, pescaron, montaron a caballo, y acamparon.
3. Le dicen que hay museos interesantes, mercados, y buenos restaurantes.
4. Quiere regatear porque no tiene mucho dinero.
5. Quiere comprarles joyas como aretes o anillos.

Cultura

K 1. a
2. c
3. c
4. b

L Answers may vary. Sample answers:
1. En Costa Rica se puede nadar o bucear en el agua cristilina, explorar los arrecifes, dar caminatas o montar a caballo en Costa Rica.
2. En Chile se puede esquiar o hacer snowboard.
3. El clima de las costas de Costa Rica es cálido y húmedo todo el año. Chile cuenta con una variación climática donde hay veranos cálidos y secos e inviernos fríos con lluvia y nieve.

Hablar

M Answers will vary.

Escribir

N Answers will vary.

Unidad 1 Answer Key

EXAMEN UNIDAD 1
Escuchar

A 1. los boletos
2. ida y vuelta
3. facturar
4. puerta
5. pasar por seguridad

B 1. Lucas dice que sus vacaciones fueron divertidas.
2. Lucas y su abuelo fueron a pescar en el Pacífico.
3. Lucas tomó muchas fotos cuando acampó cerca del volcán.
4. Se llaman «ticos» porque muchas veces ellos dicen «tico» al final de sus palabras, según Lucas.
5. Su mamá hizo su itinerario.

Vocabulario y gramática

C 1. hacer la maleta
2. traje de baño
3. alojamiento
4. pasajeros
5. auxiliar de vuelo
6. la parada de autobús
7. habitacion individual
8. caro
9. regatear
10. artesanías

D 1. Julio y yo vimos las pantallas.
2. Yo llamé al agente de viajes.
3. Juan buscó a la auxiliar de vuelo.
4. Tú tomaste un taxi.
5. Mamá y papá hicieron las reservaciones.

E Answers may vary. Sample answer:
1. Rafael nos escribe una tarjeta postal (a nosotros).
2. Mis padres me hacen preguntas (a mí).
3. Tú y yo le compramos regalos (a Juana).
4. Ellas te dicen la información (a tí).
5. Yo les doy regalos (a ustedes).

F 1. ¿Como fue el viaje?
2. ¿Cuánto costó el boleto?
3. ¿Adónde fueron?

G 1. hicimos
2. hice
3. vi
4. fuimos
5. regateé
6. enseñaste
7. hizo
8. compró
9. vimos
10. visitamos
11. di
12. fue

H Answers may vary.

Leer

I 1. ir directamente a Alajuela o a Heredia.
2. en un hotel cerca del volcán Arenal.
3. La Fortuna; Monteverde
4. dos días
5. la costa Pacífica/la península de Nicoya

J 1. Ana María debe ir a Alajuela o a Heredia porque son lugares tranquilos donde puede ver la naturaleza.
2. Ana María puede ver el volcán Arenal y la catarata de La Fortuna.
3. Ella tiene que pasar por el lago Arenal para llegar a Monteverde en un día.
4. Puede ver los jardines de orquídeas y de mariposas, o puede dar una caminata por el bosque en Monteverde.
5. Si va a la península de Nicoya, Ana María va a nadar o bucear.

Cultura

K 1. Océano Pacífico
2. Los Andes
3. Tico
4. un volcán activo
5. la carreta de madera
6. «pura vida»

L 1. La escencia de pura vida es representada en el arte de Adrián Gómez.
2. Hay muchas especies nativas porque hay muchos parques nacionales que están protegidos.
3. Presenta una familia del campo de Costa Rica.
4. Puedes nadar en las aguas termales.

Hablar

M Answers will vary.

Escribir

N Answers will vary.

Unidad 2 Answer Key

EXAMEN LECCIÓN 1

Escuchar

A 1. metieron un gol
2. metieron dos goles
3. musculoso pero lento
4. es atlético y juega bien
5. el domingo (en la cancha de los Pumas)
6. van a ganar (el premio)

B 1. Son de color azul y blanco para Argentina y verde y amarillo para Brasil.
2. Cotufa es el mejor jugador de Brasil. Es musculoso pero un poco lento.
3. Argentina metió el segundo gol.
4. Sí, al narrador le gusta más Brasil porque dice «¡Bravo!» cuando el jugador brasileño mete un gol. Cuando el argentino Posetti mete un gol, dice que el jugador no es bueno y que tuvo suerte.

Vocabulario y gramática

C Answers will vary. Sample answers:
1. Es importante hacer ejercicio.
2. Es bueno jugar en equipo.
3. Es bueno competir.
4. Es necesario seguir una dieta balanceada.

D Answers will vary.

E 1. esta, ésa
2. esos
3. estas, aquéllas
4. Aquellos(as)
5. aquel/éste

F Answers will vary, but verbs should be conjugated as follows:
1. Tú corriste…
2. Nosotros bebimos…
3. El jugador vázquez metió…
4. Los Osos perdieron…
5. Yo salí del estadio…

G 1. Duermo tranquilamente.
2. Meten goles fácilmente.
3. Debes beber frecuentemente.
4. Corre lentamente.

H Answers will vary.

Leer

I 1. verano
2. 180 ciclistas
3. Henri Desgranges
4. no le gustó la idea

J 1. Hablaron de competencias deportivas, especialmente de ciclismo.
2. Decidieron hacer una competencia de ciclismo: La Vuelta a Francia.
3. La primera Vuelta a Francia ocurrió en enero de 1903.
4. Se bajaron de sus bicicletas el las partes difíciles. Después caminaron y luego se subieron otra vez.
5. Ganó Maurice Garin, un limpiador de chimeneas, bajo pero musculoso y en buena forma.
6. Fue un gran éxito porque miles de aficionados salieron a ver el final. (También hoy tiene muchos aficionados y es una competencia muy importa)

Cultura

K 1. Todos los países del mundo pueden competir.
2. La capital de Argentina es Buenos Aires.
3. Puedes esuchar cantos deportivos.

L Answers will vary, but answer 1 should mention that the painting shows a local neighborhood soccer team, and this demonstrate the popularity and importance of soccer in Argentina. Answer 2 could talk about La Patagonia or about La Boca or la calle Florida in Buenos Aires.

Hablar

M Answers will vary.

Escribir

N Answers will vary.

Unidad 2 Answer Key

EXAMEN LECCIÓN 2

Escuchar

A 1. a las seis de la mañana
2. a las siete
3. corre
4. se ducha y se lava el pelo

B 1. Va a usar su jabón y su champú porque los prefiere.
2. Se cepilla los dientes después de comer el desayuno en el hotel.
3. Tiene que afeitarse (porque mañana es miércoles).
4. No necesita una toalla porque el hotel tiene toallas.
5. Necesita su peine para peinarse.

Vocabulario y gramática

C 1. a. el hombro
b. el codo
c. la muñeca
d. el dedo
e. la uña
2. a. el pelo
b. los dientes
c. el cuello
3. a. los dedos (del pie)
b. las uñas

D 1. Primero se levanta.
2. Luego/Después/Entonces se entrena.
3. Después/Luego/Entonces se ducha.
4. Entonces/Luego/ Después se pone la ropa.
5. Por fin se maquilla.

E Answers will vary.

F Answers may vary.
1. (Se) Están durmiendo.
2. Estoy/Estás comiendo.
3. Estamos corriendo/Nos estamos entrenando.
4. Estás/Estoy bebiendo agua.
5. Está secándose.

G Answers will vary.

Leer

H 1. entre las seis y las siete de la mañana
2. se maquillan
3. a las once o doce
4. más temprano
5. duermen hasta las once

I 1. Les hicieron preguntas a los jóvenes de 13 a 17 años de la comunidad.
2. Se bañan, se lavan y se secan el pelo y se peinan.
3. Muchos se afeitan.
4. Juegan juegos electrónicos, miran televisión, se conectan con Internet (escriben correos electrónicos, hace sus tareas).
5. Es mejor no llamar porque están durmiendo a esa hora.

Cultura

J 1. un pintor/escultor/poeta/inventor argentino
2. una pintura abstracta de Xul Solar.
3. tira cómica una niña de una/argentina
4. un chico de una tira cómica colombiana

K 1. Los gauchos viven en las Pampas de Argentina, y los cafeteros viven en las montañas de Colombia.
2. Los gauchos atienden el ganado y mantienen los ranchos, los cafeteros trabajan la tierra y mantienen el café.
3. Los gauchos y los cafeteros viven de la tierra, se levantan temprano para salir a trabajar. Los gauchos trabajan con los animales (el ganado) y los cafeteros trabajan con las plantas.

Hablar

L Answers will vary.

Escribir

M Answers will vary.

Unidad 2 Answer Key

EXAMEN UNIDAD 2

Escuchar

A 1. ganar muy fácilmente
2. pierden un campeonato
3. tienen suerte
4. muy rápido
5. Los Cóndores

B 1. Los jóvenes deben comer comida saludable, seguir una dieta balanceada, hacer ejercicios y ser activos.
2. Se levanta a las seis.
3. Normalmente corre cinco millas.
4. Bebe un jugo de naranja, y come un cereal con frutas y leche.
5. Piensa que su rutina diaria es un poco aburrida.

Vocabulario y gramática

C 1. A Teo Rodríguez le duele la muñeca.
2. A Diego Alonso le duele el hombro.
3. A Pedro Muñoz le duele el cuello.
4. A Luis Díaz le duele el codo.
5. A Ramón Torres le duele el dedo del pie.

D Answers will vary.

E 1. rápidamente
2. fácilmente
3. alegremente
4. tranquilamente

F 1. Aquél es el mejor jugador.
2. Ésos me gustan. (Me gustan esos uniformes.)
3. Prefiero aquel jugo.
4. Éste va aganar. (Este equipo va aganar.)
5. Éstas son las más saludables. (Estas comidas son las más saludables)
6. Conozco aquellos deportistas.

G 1. Yo metí un gol.
2. Jorge bebió nuestra agua.
3. Alícia y María salieron temprano del partido.
5. Tú compartiste una hamburguesa con tu hermana.

H 1. Estamos jugando.
2. Patricia está duchándose.
3. Jorge está bebiendo agua.
4. Se están entrenando.
5. Te estás poniendo el uniforme.

Leer

J 1. es importante ser activo y colaborar en equipo
2. La Copa Chile Escolar
3. fue fácil
4. representar su país en la Copa Mundial Escolar
5. julio

K 1. Es un campeonato importante y los participantes compiten en Santiago.
2. La Secretaría Nacional del Deporte, Educación Física y Recreación lo organizó.
3. Fue fácil seleccionarlos porque todos los cuatro mil jóvenes son muy buenos deportistas.
4. Participaron más de 270 escuelas.
5. El objetivo fue darles a los jóvenes la oportunidad de competir y ser buenos deportistas en el futuro.

Cultura

L 1. barrio (artístico)
2. *vos*
3. La Patagonia
4. los cantos deportivos

M Answers will vary.

Hablar

N Answers will vary.

Escribir

O Answers will vary.

Unidad 3 Answer Key

EXAMEN LECCIÓN 1

Escuchar

A 1. Pedro quiere ir al centro.
2. Pedro quiere comprar ropa que está de moda.
3. Él quiere comprarla para impresionar a Ana.
4. Un almacén que Tere recomienda a Pedro.
5. Piensa comprar una camisa, unos pantalones y un chaleco.

B 1. queda apretada
2. una talla más grande
3. le quedan bien
4. el chaleco de cuadros
5. unos pantalones azules, y un suéter

Vocabulario y gramática

C 1. farmacia
2. librería
3. panadería
4. almacén
5. abiertas
6. cerrado

D 1. el cinturón/el almacén
2. las sandalias/la zapatería
3. la falda de cuadros/el almacén
4. la pulsera/la joyería
5. el reloj/la joyería
6. el traje/el almacén
7. las botas/la zapatería
8. el gorro/el almacén

E 1. haces
2. sales
3. salgo
4. pongo
5. traigo
6. conoces
7. conozco
8. sé
9. tienes
10. tengo
11. doy
12. viene
13. vengo
14. digo

F 1. para ella
2. para él
3. para mí
4. para ti
5. para ellos
6. conmigo

G Answers may vary.

Leer

H 1. C
2. F; Para Mariana es difícil estar a la moda.
3. F; No, no puede llevar toda la ropa de Nueva York en el Caribe.
4. F; La ropa floja está de moda en Nueva York.
5. F; No. Ella dice que no es fácil.

I 1. La mamá de Mariana es de Puerto Rico, su papá es de la República Dominicana.
2. Para Mariana es difícil estar a la moda porque los estilos cambian, la moda es diferente en Nueva York y en el Caribe, y no puede llevar toda su ropa de invierno en el Caribe.
3. Mariana dice que en Nueva York, les gusta la ropa floja; en el Caribe, les gusta la ropa un poco más apretada.
4. Ella no lleva su ropa de invierno porque hace demasiado calor.
5. Answers will vary.

Cultura

J 1. San Juan
2. El español y el inglés
3. José Campeche es un pintor de Puerto Rico.
4. En el Mar Caribe

K 1. Los españoles comenzaron a construir El Morro en 1539 para defender San Juan.
2. Un timbalero es una persona que toca los timbales. Puedes verlos tocar en festivales y desfiles en el Caribe.
3. Una persona de Puerto Rico porque la isla también se llama Borinquen. Es una palabra taína.

Hablar

L Answers may vary.

Escribir

M Answers may vary.

Unidad 3 Answer Key

EXAMEN LECCIÓN 2

Escuchar

A 1. precios muy baratos
2. están hechos a mano
3. las pulseras de plata
4. El collar
5. El papá del vendedor
6. Las esculturas de metal

B 1. Inés quiere ver un collar de oro.
2. Ella le ofrece $20 por el collar.
3. Inés compra una pulsera de plata por $12.
4. No lo compra porque es muy caro.

Vocabulario y gramática

C 1. está hecha de madera.
2. es de cuero.
3. está hecha de piedra
4. está hecho de cerámica.

D 1. Pase
2. Con permiso/Disculpe
3. Me deja ver
4. Con mucho gusto
5. Disculpe/Perdóneme
6. No hay de qué/De nada

E 1. estuvimos
2. pudo
3. pusieron
4. supieron
5. pusieron
6. tuve

F 1. nos pusimos
2. se vistió
3. pedí
4. prefirieron
5. sirvió
6. tuve
7. dormí
8. siguieron
9. durmieron
10. Tuvimos

G Answers may vary.

Leer

H 1. F; Eliana fue al mercado con sus tíos hoy por la tarde.
2. C
3. C
4. F; Eliana decidió comprar un cinturón de cuero negro para su papá.
5. F; Marta no supo lo que Eliana le compró porque Eliana no se lo dijo.

I 1. Hace tres días que Eliana está en San Juan.
2. A su mamá le compró un collar de plata; a su papá le compró un cinturón de cuero negro.
3. Ella prefirió comprarle un collar de oro pero no pudo porque son muy caros.
4. Pudo comprarlo porque regateó hasta $20.
5. Eliana va a pasar una semana en San Juan en total.

Cultura

J 1. máscaras
2. papel maché o de cáscara de coco
3. el Carnaval
4. los desfiles
5. La bomba
6. Navidad
7. tocan instrumentos tradicionales
8. madera
9. Las casitas
10. Las molas

Hablar

K Answers may vary.

Escribir

L Answers may vary.

UNIDAD 3

Unidad 3 Answer Key

EXAMEN UNIDAD 3

Escuchar

A 1. 20 dólares
2. una pulsera de plata
3. dos esculturas de madera
4. unas sandalias de cuero
5. hizo buenas compras y no tuvo que regatear

B 1. Está en una zapatería.
2. Pedro le pide unos zapatos negros en número 8.
3. Los zapatos le quedan apretados.
4. Necesita zapatos en número 9.
5. Pedro compra los zapatos marrones porque le quedan bien y porque el vendedor ya no tiene número 9 en negro.

Vocabulario y gramática

C 1. el abrigo
2. las botas
3. el chaleco
4. el cinturón
5. la gorra
6. el traje
7. la falda
8. el suéter de rayas

D 1. una ganga
2. el oro
3. un retrato
4. «No hay de qué»
5. «¿Me deja ver…(esa artesanía, etc.)?»
6. Con permiso. (Necesito pasar, etc.)

E 1. sé
2. hago
3. salgo
4. conozco
5. tengo

F 1. tuve
2. estuvimos
3. supe/supimos
4. prefirió
5. pedí
6. pidieron
7. sirvió
8. seguimos
9. pusimos
10. dormimos

G 1. nosotros
2. ellos
3. ella
4. él
5. mí

H 1. Hace un mes que lo tengo/compré.
2. Hace cuatro días que llegó/está aquí.
3. Hace veinte minutos que empezó/lo estás haciendo.
4. Hace (X años) que llegó/vive allí.
5. Hace un año que me conoces/me conociste.
6. Hace dos horas que comí.

Leer

I 1. F; Es una comunidad indígena panameña.
2. F; Está cerca de Panamá (un corto vuelo de veinte minutos).
3. F; Más de 20,000 indígenas viven en más de 400 islas.
4. F; Es una ganga.
5. C

J 1. Las islas son tradicionales porque los indios conservan sus viejas costumbres del pasado.
2. Las mujeres se visten con faldas largas y blusas de muchos colores hechas a mano.
3. Regatearon en mercados indígenas, conocieron la cultura cuna y durmieron en casitas de madera en la playa.
4. Fueron de compras en centros comerciales y durmieron en hoteles de la Ciudad de Panamá.
5. Answers will vary.

Cultura

K 1. estilos de música puertorriqueña
2. instrumentos de percusión
3. indígenas de Puerto Rico
4. un centro comercial
5. personas con máscaras que aparecen en el Carnaval de Ponce

L 1. Puerto Rico queda en el Mar Caribe.
2. Una artesanía típica de Panamá es la mola/las cerámicas de La Arena.
3. Las tallas de santos son de madera.
4. Piden comida y bebida
5. Es el primer pintor reconocido de Puerto Rico. Pinto retratos de figuras políticas.

Hablar

M Answers will vary.

Escribir

N Answers will vary.

Unidad 4 Answer Key

EXAMEN LECCIÓN 1

Escuchar

A
1. a la guerra a pelear
2. a casarse con Ixta
3. Ixta se va a morir también
4. ver llorar a Ixta
5. ser valiente
6. El dios de la guerra

B
1. Le contó que Popo murió en una batalla.
2. Porque Chimali es el enemigo de Popo y siempre tuvo celos de Popo.
3. Se va a la montaña a morir.
4. Los dioses la van a transformar en un volcán.

Vocabulario y gramática

C
1. vez
2. hermosa
3. montaña
4. emperador
5. enamorado
6. casarse
7. ejército
8. regresó
9. mensaje
10. llorar

D
1. Es conocida.
2. Están preparados.
3. Están cansados.
4. Está perdida.
5. Está dormido.

E
1. Cuando yo tenía 16 años, yo vivía en México.
2. Mis abuelos y yo vivíamos en el centro histórico.
3. Yo estudiaba en la escuela cerca del parque.
4. Yo iba a la escuela en autobús.
5. Mi profesor nos contaba muchas leyendas.
6. Nosotros lo escuchábamos con atención.
7. Queríamos conocer leyendas mexicanas.
8. Mis amigos iban a la biblioteca después de la escuela.
9. Ellos llevaban libros de cuentos a su casa.
10. El profesor era amable con nosotros.

F
1. tenía
2. llevó
3. estábamos
4. era
5. fuimos
6. eran
7. hacía
8. visitamos
9. vi
10. aprendimos

G Answers will vary.

Leer

H
1. F; Era un centro económico azteca; era el lugar del mercado más importante de la cultura azteca.
2. F; Hay construcciones aztecas y coloniales también.
3. F; Es una construcción del siglo XX.
4. C

I
1. Refleja el proceso de evolución de la cultura mexicana.
2. Las tres culturas son: los aztecas/indígenas, los españoles de la época colonial y el México de hoy.
3. Hay ruinas de un mercado azteca importante, hay una catedral colonial española, allí está La Secretaría de Relaciones Exteriores y el gobierno méxicano transformó este lugar en un espacio público.

Cultura

J
1. la Ciudad de México
2. Nicaragua
3. sus importantes sitios arqueológicos, su cerámica, sus telas y su chocolate hecho a mano
4. afirmar su identidad mexicana
5. las memorias de su niñez y la vida
6. un volcán

K
1. Reflejan la influencia indígena.
2. Es la plaza principal de la Ciudad de México.
3. Creó una fundación para los jóvenes de su pueblo.
4. Explica los orígenes del fuego.

Hablar

L Answers will vary.

Escribir

N Answers will vary.

Unidad 4 Answer Key

EXAMEN LECCIÓN 2

Escuchar

A 1. una de las civilizaciones más avanzadas del México antiguo
2. las artes y las ciencias
3. herramientas
4. cazaron y practicaron la agricultura
5. 365 días

B 1. Es la más grande de Chichén-Itzá.
2. Es un monumento.
3. Encontraron otra pirámide más pequeña.
4. Kukulcán era un dios importante para los mayas.

Vocabulario y gramática

C 1. el calendario
2. moderno
3. el semáforo
4. una excavación
5. un agricultor
6. cazar
7. cruzar
8. pirámides
9. una estatua
10. un templo

D Answers may vary.
1. Hay que doblar a la derecha en la esquina.
2. La catedral está allí.
3. Ése es el rascacielos famoso.
4. Hay una plaza bonita cerca de aqui.
5. Camina por la acera; la avenida es peligrosa.

E 1. leíste
2. pagué
3. busqué
4. empezó/comenzó
5. comenzamos/empezamos
6. construyeron
7. saqué
8. almorzamos
9. crucé
10. llegué

F Answers will vary. Sample answers:
1. Mi primo vino de México a visitarme por dos días durante las vacaciones.
2. Él y su amiga me trajeron muchos regalos.
3. Yo le dije que me gustaban mucho los regalos.
4. Nosotros quisimos salir al parque, pero llovía/llovió.
5. ¿Qué trajiste tú de tu viaje a Ecuador?

G Answers will vary, but sentences will include:
1. Yo practiqué…
2. Mis amigos y yo quisimos…
3. ¿Tú viniste…?
4. Mi maestro(a) dijo…
5. Mis compañeros leyeron…

Leer

H 1. F; Tulúm se encuentra frente al mar.
2. F; Es de origen maya y quiere decir «muro».
3. C
4. F; Están en buenas condiciones.

I 1. Está en el estado mexicano de Quintana Roo, en la Penínsua de Yucatán. Es interesante porque hay ruinas mayas en excelentes condiciones, y hay vistas al Caribe.
2. Los construyeron en el siglo XII. Hay un muro, un palacio y varios templos y casas.
3. Ellos dijeron que Tulúm era tan bella y grande como la ciudad española de Sevilla.

Cultura

J 1. Sudamérica
2. ulama
3. náhuatl
4. quechua

K 1. Ocuparon la región de Oaxaca.
2. Producen artículos de ropa y de decoración con tejidos de colores únicos.
3. Es una ceremonia ancestral de los zapotecas.

Hablar

L Answers will vary.

Escribir

M Answers will vary.

Unidad 4 Answer Key

EXAMEN UNIDAD 4

Escuchar

A 1. lejos
2. al lado del Zócalo
3. derecho por dos cuadras
4. doblar a la derecha y caminar tres cuadras
5. cruzar el Zócalo

B 1. Era el dios más importante de los aztecas, el dios del sol y de la guerra.
2. Les dijo donde debían construir su ciudad.
3. Iban a servir al palacio de Huitzilopochtli.
4. No sabe, pero dice que algunos piensan que sí.
5. Otros piensan que era la cara de otro dios del sol más viejo. Por fin, otros dicen que es el dios del centro del universo.

Vocabulario y gramática

C 1. cruzar
2. ruinas
3. calendario
4. princesa
5. enemigo
6. guerrero
7. cazar
8. herramientas
9. palacio
10. los aztecas

D Answers may vary.
1. El rascacielos es moderno.
2. La pirámide es antigua.
3. La catedral es antigua (pero hay catedrales modernas).
4. El semáforo es moderno.
5. La tumba es antigua / Las ruinas son antiguas.

E 1. traje
2. vino
3. saqué
4. leí
5. construyeron
6. jugaron
7. buscamos
8. dije
9. quiso
10. almorzó

F 1. Una joven hermosa vivía en una montaña.
2. Su querido amigo prefería la ciudad.
3. Ella y su familia estaban contentos.
4. A él y a sus amigos les gustaba lo moderno.
5. Él iba a visitarla.

G 1. iba
2. vio
3. dijo
4. contestó
5. estaba
6. regresó
7. buscaba
8. encontró
9. leía
10. entendió

Leer

H 1. un parque
2. un mural/una obra de arte
3. decorar un hotel
4. para proteger el mural
5. personajes importantes en la historia de México

I 1. Está en la Cuidad de México, cerca del Zócalo.
2. Le gustaba pasear con familiares o amigos.
3. Está cerca de la Alameda Central.
4. Lo construyeron después del terremoto terrible de 1985.
5. Lo construyeron para proteger esta obra de arte tan importante y famosa.

Cultura

J 1. La Plaza de la Constitución
2. Ecuador
3. las artesanías, la comida, los bailes folklóncos, palabras de origen indígena
4. volcanes
5. un pintor

K 1. Era la capital del antiguo imperio azteca.
2. Es el idioma de los aztecas.
3. Es una leyenda mazateca que explica el origen del fuego.
4. Es el idioma de los incas.
5. Es el antiguo juego de pelota.

Hablar

L Answers may vary.

Escribir

M Answers may vary.

Midterm Answer Key

EXAMEN DE MITAD DE AÑO

Escuchar

A
1. d
2. b
3. a

B
1. c
2. c

Vocabulario y gramática

C
1. d
2. c
3. b
4. b

D
1. c
2. c
3. b
4. d

E
1. c
2. b
3. d
4. a

F
1. b
2. c
3. d
4. b
5. b

G
1. c
2. a
3. c
4. d
5. b

Leer

H
1. c
2. c
3. c
4. b
5. a

Cultura

I
1. c
2. c
3. d
4. b
5. b

J
1. b
2. d
3. c
4. a
5. d

Hablar

K Answers will vary.

Escribir

L Answers will vary.

Unidad 5 Answer Key

EXAMEN LECCIÓN 1

Escuchar

A 1. fácil y sabrosa
2. lechuga
3. fresas
4. sal
5. zanahorias
6. batir

B 1. Ella necesita carne, patatas, espinacas, zanahorias, tomates y pan.
2. Va a freírlas.
3. Él debe comprar espinacas, zanahorias y tomates para la ensalada.
4. Paqui no tiene que comprar postre, pero va a comprar pan en la panadería.

Vocabulario y gramática

C 1. dulces
2. saladas
3. picante
4. agrios
5. ajo
6. asco

D 1. La ensalada de lechuga está deliciosa.
2. La sopa de zanahorias también está sabrosa.
3. La carne necesita sal.
4. Yo prefiero ponerle mostaza a la carne.
5. ¿Es un pastel de fresas?

E 1. riquísimos/buenísimo
2. fresquísima/sabrosísima
3. larguísimo/interesantísimo
4. felicísimo/emocionadísimo
5. picantísima/saladísima

F 1. Sí, empiéce la ensalada. Empiécela.
2. No la corte la lechuga. No la corte.
3. Sí, láva los tomates. Lávalos.
4. No ponga cebolla a la ensalada. No la ponga.
5. Sí, mezcle el vinagre con el aceite. Mézclelo con el aceite.
6. No, no añada sal y pimienta. No las añada.

G 1. No, me esperen.
2. Sí dígales adonde fui.
3. Sí, llámenme.
4. Sí acuéstense.
5. Sí apaguen las luces.
6. Sepan que soy responsable.

Leer

H 1. F; es la parte amarilla del huevo y un dulce español
2. F; de Ávila
3. F; se hacen en los dulcerías
4. F; necesitas pocos ingredientes

I 1. Son la parte amarilla del huevo/un dulce español. Se venden en las pastelerías.
2. Son pequeñas, redondas, irregulares, y casi siempre hechas a mano.
3. Los ingredientes son yemas de huevo, azúcar, agua, canela y limón.
4. No, tienen un sabor dulce. Hay azúcar en la receta.

Cultura

J 1. La capital de España es Madrid.
2. Answers may vary. Should list two: Dos idiomas que hablan en España son castellano (español), catalán, gallego, vasco.
3. Dos comidas típicas españolas son la tortilla de patatas y las tapas (la ensaladilla rusa, paella, gazpacho).
4. Antoni Gaudí es un famoso arquitecto español.
5. La moneda que usan en España es el euro.

K 1. ciudades
2. pintor; Toledo
3. un poeta chileno
4. una pintura; flores, frutas, platos o instrumentos
5. porciones pequeñas de comida.

Hablar

M Answers may vary.

Escribir

N Answers may vary.

Unidad 5 Answer Key

EXAMEN LECCIÓN 2

Escuchar

A 1. su español
2. un plato típico español
4. hamburguesas/patatas fritas
5. una hamburguesa con patatas fritas

B 1. Recomienda la paella. Pide paella para tres.
2. Van a beber té frío. No piden un entremés.
3. Sue quiere flan/Álvaro y Paqui quieren la tarta de chocolate.

Vocabulario y gramática

C 1. muy amable
2. filete
3. entremés
4. gazpacho
5. pollo asado
6. caldo
7. vegetariano
8. chuletas
9. heladería
10. pastelería

D 1. un tenedor
2. una servilleta
3. un cuchillo
4. una cuchara
5. un vaso

E Answers may vary.

F 1. No quiero ver ninguna película.
2. No quiero salir con nadie.
3. No quiero ver ningún programa ni jugar al monopolio/No quiero hacer nada de eso
4. No quiero salir con ningún amigo.
5. Yo nunca estoy de mal humor.
6. Sí, quiero comer algo.
7. Sí, siempre quiero salir contigo.

G 1. Sí, tráiganaselas.
2. Sí, cómprenmelas.
3. Sí, pídanselo.
4. Sí, pídantelo.
5. Sí, tráigansela.
6. Sí, tráiganselo.
7. Sí, dénselas.
8. Sí, díganselo.

Leer

H 1. una especialidad
2. al fuego lento
3. carnes y pescados
4. histórico
5. los asados de cordero y cochinillo y la sopa de ajo (los caracoles a la madrileña, la merluza Candelas)
6. la música en vivo (la ropa histórica de los camareros, el edificio)

I Answers will vary.

Cultura

J 1. viejo
2. pintora
3. verduras crudas
4. grande

K 1. El cocido es la comida más típica de Madrid.
2. Se cena entre las nueve y diez de la noche.
3. Unos alimentos típicos de la región de Montevideo son la carne, el pescado, y los mariscos.

Hablar

L Answers may vary.

Escribir

M Answers may vary.

Unidad 5 Answer Key

EXAMEN UNIDAD 5

A 1. muchas personas llamaron para pedirla
2. tres
3. las papas y la cebolla
4. Se baten/Batan
5. como plato vegetariano o con el plato principal

B 1. Les habla de las especialidades de la casa. Se llama Esteban.
2. Tienen caldo de pollo y gazpacho
3. Los platos principales son las chuletas de cerdo o el filete a la parrilla con papas fritas o el plato de carne madrileño o la ensalada César con pan fresco. Las chuletas son muy sabrosas.
4. Lo sirven con papas fritas.
5. Tienen flan y tarta de chocolate. Son los mejores de Madrid.

C Answers may vary.
1. Es para cortar la carne.
2. Es una bebida caliente.
3. Es un postre hecho de leche.
4. Es una tapa o comida hecha de huevos y patatas.
5. Es para limpiarse la boca.
6. Es algo que tiene demasiado sal.
7. Es una verdura verde para ensaladas.
8. Es algo para poner bebidas.
9. Es una verdura anaranjado.
10. Es una sopa fría de verduras molidas.

D 1. Pídanlas...
2. Vaya...
3. Dénle...
4. Páguele...
5. Vayan... (Alquílenlo...)
6. Háganla en el Hotel...

E 1. *Siempre* hay *algo* que comer en la cocina.
2. Sí, *alguién* compra los huevos.
3. Sí hay cebollas y *también* hay aceite.
4. Sí tenemos *algonas* recetas (una receta).

F 1. Estas frutas están dulcísimas
2. Mi mamá está larguísimo.
3. Los espaguetis están riquísimos.
4. Este viaje es divertidísimo.
5. El examen es facilísimo.

G 1. Sí, se lo di.
2. Sí, me las estoy poniendo/Sí, estoy poniéndomelas.
3. Sí, te lo compré.
4. Sí, se los voy a comprar/Sí, voy a comprárselos.
5. Sí, se la voy a escribir.
6. Sí, debes darselo.
7. Sí, espérame a las seis.

Leer

H 1. pasear, mirar a la gente, visitar los barrios, y comer
2. dos
3. una paella grandísima
4. fresa

I 1. Le gusta más el jamón ibérico con queso manchego.
2. Les sirvió un camarero catalán. Les enseño pababras de catalán.
3. Hay palacios, plazas, iglesias, y una catedral.
4. (Pablo) Picasso pintó las pinturas en el museo.
5. Dice que deben visitar Barcelona algún día.
6. Son unos edificios construidos por Gaudí.

Cultura

J 1. chocolate caliente
2. Toledo, España
3. un arquitecto de Barcelona (Cataluña), España
4. naturaleza muerta
5. odas (poemas)

K 1. Cenan entre las nueve y las diez de la noche.
2. Es una pintora
3. Unas tapas son aceitunas, jamón, calamares, pulpos, ensaladilla rusa, tortilla de patatas.
4. Es el restaurante más viejo del mundo.
5. La tortilla española es de huevos y patatas. La tortilla salvadoreña o mexicana es delgada y de maíz o harina.

Hablar

L Answers may vary.

Escribir

M Answers may vary.

Unidad 6 Answer Key

EXAMEN LECCIÓN 1

Escuchar

A 1. las lineas del guión
2. seguir las instrucciones
3. No mires al micrófono
4. La escena
5. está filmando

B 1. Es una actriz, una estrella de cine.
2. Debe seguir las instrucciones del director. Ella piensa que el director puede transformar a Rodolfo en una estrella.
3. No es complicado.
4. Algunas veces tiene que ser serio y otras cómico en una escena.
5. Hacer reír y llorar al público.

Vocabulario y gramática

C 1. una película de información
2. el profesional que filma
3. hablar y que se oiga lo que dices
4. una película que pretende dar miedo a los espectadores
5. El director es el qué dirige a los actores.

D Answers may vary.

E 1. ¡Apréndetelas!
2. póntelo
3. mírame
4. Sé...
5. Dile...
6. Sal...
7. Ven otro día.
8. Ve a la rentana.
9. Dile...
10. Tenle paciencia

F 1. empieces
2. mires
3. toques
4. le pongas
5. seas
6. te levantes
7. estés
8. te duermas
9. llegues
10. te vayas

G Answers may vary.

Leer

H 1. F
2. C
3. F
4. C
5. C

I 1. criminales/sirvientes/músicos
2. Los Ángeles
3. Edward James Olmos
4. Panamá
5. Pedro Almodóvar

Cultura

J 1. Es una escritora de Chile.
2. De Isabel Allende.
3. Aztlán, el lugar de origen de los axtecas según sus leyendas
4. murales en la ciudad de Los Ángeles.

K 1. El festival se celebra en Los Ángeles.
2. Edward James Olmos es un actor hispano.
3. Se usa la palabra «chicano».

Hablar

L Answers may vary.

Escribir

M Answers may vary.

Unidad 6 Answer Key

EXAMEN LECCIÓN 2

Escuchar

A 1. no pudo entrevistar
2. un director
3. va a ganar un Óscar
4. los actores hicieron un gran papel y la película tiene un buen argumento
5. hay otra película en el futuro

B 1. Toni Olivera está hablando con los actores y los directores de cine.
2. Los mejores del cine van a recibir los premios, según Toni.
3. Los grandes de Hollywood se vistieron con ropa de moda muy elegante.
4. Su competencia son los otros grandes actores que hicieron un gran papel en sus películas.
5. Toni le desea suerte y dice ojalá que gane el premio.

Vocabulario y gramática

C 1. Aló / Bueno / Diga
2. Puedo hablar
3. no está
4. un mensaje
5. Cómo no
6. un momento
7. fin
8. Claro que sí
9. dirección electrónica
10. qué lástima

D 1. el teclado
2. un/mi teléfono celular
3. el ratón
4. la ropa elegante
5. un corbatín

E Some answers may vary.
1. encuentren
2. pueda
3. diga
4. guste
5. hagamos; filmemos
6. vengan
7. toque; cante
8. tomen
9. tenga
10. salgan; se vayan

F Answers may vary.
1. Ojalá que gane…
2. Ojalá que sepa…
3. Ojalá que dé…
4. Ojalá que se vista…
5. Ojalá que tenga…

G 1. practique
2. saques
3. juguemos
4. apaguen
5. empiece

Leer

H 1. una invitación para una fiesta de cumpleaños
2. mandó todas las invitaciones al mismo tiempo
3. le mandó correo electrónico
4. llamar a la casa
5. la dirección por mensajero instantáneo

I 1. Linda recibió su invitación para la fiesta por correo electrónico.
2. Linda está convencida de que Mauricio está invitado porque Jorge se lo dijo ayer cuando hablaban en la cafetería.
3. Mauricio no recibe algunos de los correos electrónicos porque tiene muchas direcciones electrónicas y no las abre todas.
4. Mauricio no puede usar mensajero instántaneo para estar en contacto con Jorge. Tienen que llamarlo en su teléfono celular.
5. Mauricio tiene que hablar con Jorge pronto por que Jorge se acuesta a las diez durante la semana.

Cultura

J 1. medios
2. la música
3. la television
4. el Óscar
5. el Ariel

K 1. Margaret Herrick le dio el nombre «Óscar» al premio porque el caballero de la estatuilla era como su tío Óscar.
2. Las cinco profesiones simbolizadas son los actores, los guionistas, los directores, los productores y los técnicos.
3. La «Época de Oro» se refiere a los años 40 cuando la Academia se creó.
4. Wilmer Valderrama y Alexis Bledel tienen una herencia hispana y el español como su primer idioma en común.
5. Más que la pintura, Patssi Valdez hace el arte interpretativo, la fotografía y el diseño como artista.

Hablar

L Answers will vary.

Escribir

M Answers will vary.

Unidad 6 Answer Key

EXAMEN UNIDAD 6

Escuchar

A 1. guionistas
2. una hermosa gala
3. los vestidos (que llevaron las mujeres)
4. corbatín
5. larga y divertida

B 1. Ignacio quiere mandarle un mensaje instantáneo a Rodolfo.
2. Él piensa que no puede mandárselo porque Rodolfo no tiene mensajero instantáneo.
3. La dirección electrónica de Rodolfo que Silvia le dice a Ignacio es rmontero@pp5.com.
4. Ignacio cree que tiene problemas con el teclado de su computadora.
5. Silvia le dice que haga clic en el icono que dice «mandar».

Vocabulario y gramática

C 1. fracasar
2. película de terror
3. guionista
4. estrellas de cine
5. crítica
6. comedia
7. maquillaje
8. animación
9. cámara (de cine)
10. argumento

D 1. Aló
2. invitación
3. estrenar
4. gala
5. fin de semana
6. me encantaría
7. Te lo juro
8. ropa elegante
9. Claro que sí/Cómo no
10. corbatín

E 1. Di tu línea.
2. Ponte el uniforme y el maquillaje.
3. No seas tan seria./Sé cómica.
4. Haz el papel de profesor/No hagas el papel de estudiante.
5. No filmes todavía.

F 1. termine
2. dé
3. filmemos
4. tengas
5. pueda
6. pida
7. hagan
8. durmamos
9. sea
10. paguen

G Answers will vary. Sample answers:
1. Ojalá que la película no fracase.
2. Ojalá que les dé miedo a todos.
3. Ojalá que la gente prefiera verla.

4. Ojalá que gane muchos premios.
5. Ojalá que llegue a un cine cerca de ti.

Leer

H 1. unos DVD de los documentales interesantes
2. usar el teléfono durante las clases.
3. en caso de emergencia
4. tiene que estar apagado
5. llamar a sus padres

I 1. Quiere un teléfono pequeño con cámara digital y muchos minutos.
2. Sus padres se lo dan para tener en caso de emergencia.
3. Quiere invitar a Carolina a cenar.
4. Los padres lo sabían porque Sergio siempre repitía lo que quería.
5. Sergio les jura que no va a usar el teléfono durante las clases.

Cultura

J 1. Alexis Bledel
2. Isabel Allende
3. Gilbert Lujan
4. Rita Moreno
5. José Ferrer

K 1. Se llama Clara.
2. «Chicano» es la palabra que se usa para una persona de Estados Unidos con herencia mexicana.
3. Gilberto Lujan es un artista/muralista chicano.
4. José Ferrer y Rita Moreno son importantes al cine latino porque fueron los primeros ganadores latinos del premio Óscar.
5. El premio nacional de cine mexícano.

Hablar

L Answers will vary.

Escribir

M Answers will vary.

Unidad 7 Answer Key

EXAMEN LECCIÓN 1

Escuchar

A 1. un artículo sobre la amistad
2. escuche y comprenda a su amigo
3. que un amigo entre
4. es importante/bueno/necesario que

B 1. Los estudiantes pueden formar amistades y a las universidades les gusta ver que hacen actividades extracurriculares.
2. El periódico necesita personas que escriben bien y toman buenas fotos.
3. Para hacer entrevistas.

Vocabulario y gramática

C 1. artículo
2. titular
3. presión de grupo
4. de acuerdo
5. opinión/punto de vista
6. noticias

D 1. Lauro es el fotógrafo.
2. Juanita es la escritora/editora.
3. Mauricio es el periodista.

E 1. Es importante que todos estén aquí a tiempo.
2. Marta, es preferible que entrevistes al director de la escuela.
3. Es necesario que investiguen antes de escribir los artículos.
4. No es bueno/Es malo que haya tantos anuncios en esta página.
5. No es bueno/Es malo que esta edición no tenga titulares interesantes.
6. Es bueno que yo sepa sus números de teléfono.
7. Ana, no es necesario que tomes fotos.
8. ¡Es importante que publiquemos el periódico para el lunes!

F 1. por, para
2. para, por
3. por, para
4. por, para
5. para, para
6. para, por
7. por, para
8. para
9. por
10. para

G Answers may vary.

Leer

H 1. porque pasan tiempo contigo
2. negativa
3. tengas otro compañero o amigo(a)
4. decir no a la presión de grupo

I Answers will vary.

Cultura

J 1. Santo Domingo
2. los españoles
3. los indígenas de República Dominicana
4. relajada/abierta/cálida

K 1. Usa símbolos taínos.
2. Answers will vary.
3. Answers will vary.

Hablar

L Answers will vary.

Escribir

M Answers will vary.

Unidad 7 Answer Key

EXAMEN LECCIÓN 2

Escuchar

A 1. el periódico escolar
2. la familia de su esposo
3. son sinceros y pacientes, y se escuchan
4. el abuelo de Rosa

B 1. Necesita ir al banco.
2. Dice que nunca los ve discutir.
3. Discuten cuando no están de acuerdo.
4. Discuten sobre los hijos/los problemas de familia.
5. Discuten más ahora, por que ahora tienen familia.
6. Se enojan a veces, pero no se quedan enojados porque son sinceros y siempre terminan bien.

Vocabulario y gramática

C 1. Mi suegro
2. Mis sobrinos
3. Mi cuñado
4. Su suegra
5. El novio
6. Todos mis parientes

D 1. paciente
2. popular
3. tímido
4. sincera
5. generosa
6. impaciente

E 1. es mía
2. es tuyo
3. son suyos
4. es suya
5. son suyos
6. son nuestras
7. son míos

F 1. más/que; menos/que; tan/como
2. menos que
3. tan/como
4. más/de
5. tanto/como
6. tantos/como
7. tantas/como
8. más/de
9. menor/que
10. lo/más
11. el/mejor

G Answers may vary.

Leer

H 1. la novia
2. su padrino
3. ir al correo
4. Andalucía
5. enojarse
6. se entienden

I 1. Le escribe este mensaje para decirle a Inés que quiere estar con ella.
2. Porque no tiene mucho tiempo.
3. Por la luna de miel.
4. Es paciente.

Cultura

J 1. la más antigua de las Américas
2. parientes del novio o de la novia
3. parientes o amigos de los padres
4. una escritora dominicana

K Answers will vary.

Hablar

L Answers may vary.

Escribir

M Answers may vary.

Copyright © by McDougal Littell, a division of Houghton Mifflin Company

Unidad 7 Answer Key

EXAMEN UNIDAD 7

Escuchar

A 1. simpáticas
2. orgullosa del equipo
3. la entrenadora y las jugadoras son buenas
4. tiene una cita con el dentista
5. Roberto

B 1. Irene dice que es necesario que tengan la opinión del profesor García.
2. Piensa que Luis no va a ser sincero.
3. Luis piensa que es porque discutían en su clase.
4. Irene piensa que Luis es impaciente.
5. Es importante que la escuela sepa lo qué pasó, y es importante que publiquen un artículo balanceado.

Vocabulario y gramática

C 1. apellido
2. los niños
3. mis sobrinos
4. Mi cuñado
5. peces

D Answers will vary. Sample answers:
1. Es importante que tu hermanao y tú se lleven bien.
2. Es bueno que tu mamá tenga paciencia contigo.
3. Es malo que tus padres no sepan dónde estás.
4. Es preferible que nunca vayas a lugares peligrosos.
5. Es importante que sepas si tus amigos siempre son sinceros contigo.
6. Es necesario que yo siempre te explique las cosas importantes.
7. Es bueno que tus maestros estén orgullosos de ti.
8. Es bueno que haya galletas en la cocina.

E 1. por
2. para
3. por
4. Para
5. por
6. para
7. para
8. por
9. Para
10. Por

F 1. tuyas
2. mías
3. nuestro
4. mía
5. suya
6. suyos

G Answers may vary.
1. Tengo menos hermanos que mi prima Elsa.
2. Mi abuelo es mayor que mi abuela.
3. Mi hermano es el más tímido.
4. Mi papá es tan inteligente como mi mamá.
5. Mi hermano es más impaciente que ella.
6. Yo escribo tantos artículos como mi hermano.
7. Mi hermano hace menos entrevistas que yo.
8. Yo soy la más alta.

H Answers will vary.

Leer

I 1. formar un buen equipo de trabajo
2. Un maestro
3. las computadoras
4. vender el periódico/vender anuncios
5. esté conectada a un servicio de Internet

J 1. Es una experencia interesante y divertida, se aprende mucho.
2. Muchas personas trabajan para un periódico: editor, periodista, escritor, fotógrafo.
3. Se puede preguntar al director de la escuela si hay dinero para este proyecto.
4. Se pueden tener más lectores publicando el periódico por Internet.
5. Se necesita software para construir el periódico en Internet.

Cultura

K 1. al explorador de la isla Hispañola, cristobal colón
2. Haití
3. indígenas de República Dominícana
4. hace esculturas/grabados sobre madera/ ilustraciones
5. sus bellas casas de la época colonial

L Answers will vary.

Hablar

M Answers will vary.

Escribir

N Answers will vary.

Unidad 8 Answer Key

EXAMEN LECCIÓN 1

Escuchar

A 1. aire puro
2. la capa de ozono
3. las selvas
4. árboles
5. reciclan los periódicos

B 1. Quieren empezar un club de reciclaje.
2. Deben enseñar a reciclar papel, carton y vidrio.
3. La responsabilidad de todo ecuatoriano es salvar la naturaleza de Ecuador
4. El club puede poner basureros en los parques.
5. La gente debe proteger el medio ambiente de toda contaminación.

Vocabulario y gramática

C 1. la capa de ozono
2. los recursos naturales
3. la contaminación
4. la deforestación
5. los especies en peligro de extinción
6. reciclar
7. los voluntarios
8. apenas

D Answers may vary.
1. Debemos poner basura en el basurero.
2. Debemos proteger los árboles.
3. Debemos conservar el petróleo.
4. Debemos proteger los bosques y las selvas contra los incendios forestales.
5. Debemos proteger el mundo.
6. Debemos reciclar el vidrio.
7. Debemos reciclar el carton.
8. Debemos usar vehículos híbridos.

E 1. daña
2. sean
3. reciclan
4. recoja
5. haga
6. pierde
7. haya
8. están
9. podamos
10. protejamos

F 1. Nosotros limpiaremos...
2. Yo recogeré basura...
3. Ana y Clarita escribirán...
4. Jaime enseñará...
5. Estos dos chicos leerán...
6. Manuela y yo conservaremos...
7. Yo compraré...
8. Nosotros seremos...

G Answer may vary.

Leer

H 1. muchos recursos naturales
2. rápidamente nuestra fauna y nuestra flora
3. el desarrollo de la agricultura y de la industria
4. como basureros
5. La educación

I 1. Porque la naturaleza está cambiando, hay menos recursos naturales.
2. Para mantener un aire puro en el planeta.
3. Hay menos aire puro.
4. Están más contaminadas que nunca.
5. hoy

Cultura

J 1. el oso de anteojos
2. tortugas
3. la de forestación
4. los muñecos de trapo

K 1. Se presenta al público lo mejor del cine, del teatro, del baile, de la música, del arte y de al artesanía.
2. Inti Raymi es la Fiesta del Sol y Aya uma es el líder de los bailes.
3. En la obra de Viteri hay una mezcla de la cultura y la española indígena.

Hablar

L Answers may vary.

Escribir

M Answers may vary.

EXAMEN LECCIÓN 2
Escuchar

A 1. tercer año de la universitad
2. no se gana mucho dinero en esa profesión
3. debía estudiar la carrera
4. El padre
5. ayudar a otros
6. tendrá una vida feliz

B 1. Toni quiso ser arquitecto, veterinario, abogado e ingeniero.
2. Quiso ser veterinario porque le gustan los animales, abogado porque quería ser político, arquitecto porque le gusta dibujar y hacer diseños de edificios e ingeniero porque es una profesión interesante.
3. No. Ella ve que Toni todavía no está decidido.
4. No, no lo sabe. Prefiere no decir nada a su padre sobre su decisión, y parece que también le interesa la profesión de ingeniero.

Vocabulario y gramática

C Answers may vary.
1. Debes ser arquitecta.
2. Debes ser doctor/enfermero.
3. Debes ser veterinaria.
4. Debes ser dentista.
5. Debes ser artista/diseñadora.

D Answers will vary. Sample answers:
1. El cartero lleva el correo/las cartas/las tarjetas postales a las casas.
2. El policía protege a la gente.
3. El bombero apaga incendios.
4. El carpintero construye objetos de madera/muebles/casas.
5. El diseñador dibuja.

E 1. Se vende equipo de bucear de buena calidad.
2. Se necesitan dos veterinarios para trabajar en una clínica de animales pequeños.
3. Se pide abogado para trabajar en Quito. Debe hablar español y quechua.
4. Se compran joyas de oro y plata a mejores precios.
5. Se busca programador de software con mucha experiencia y buenas referencias.

F 1. ¡Querrás estudiar!
2. Sabrás qué hacer con tu vida.
3. Tus profesores te dirán mucho sobre las profesiones.

4. Habrá muchos trabajos en el futuro.
5. Tendremos experiencia después.
6. Vendré contigo a la biblioteca.
7. ¡Harás algún día lo que te gusta!

G 1. No, no les des de comer.
2. Sí, tráemela.
3. Sí, llévaselo.
4. Diles que ahora voy.
5. No, no te vayas todavía.

H Answers will vary.

Leer

I 1. las altas montañas andinas de Ecuador
2. Los indígenas quechua
3. escalar bastante fácilmente
4. se puede empezar a escalar
5. alpinistas con más experiencia

J 1. Es un valle con montañas a cada lado.
2. Se debe entrenar primero.
3. Los volcanes antiguos son más difíciles de escalar porque tienen mucho hielo y mucha roca.
4. Necesitas un guía.
5. Los alpinistas con más experiencia podrán escalar el Antisana porque es una montaña aún más difícil.

Cultura

K 1. dos manos grandes   4. Venezuela
2. que subió el Everest   5. andinismo
3. oxígeno

L 1. Son competencias entre escuelas de diferentes asignaturas. Los estudiantes ganan mucha experiencia cuando participan.
2. Era ingeniero químico y profesor.
3. Es artista, poeta y programador.
4. Es un artista ecuatoriano importante.
5. Una característica de su obra son las personas con manos grandes.

Hablar

M Answers will vary.

Escribir

N Answers will vary.

Unidad 8 Answer Key

EXAMEN UNIDAD 8

Escuchar

A 1. todo lo que ofrece la Universidad Bolívar
2. profesionales
3. estudias las ciencias
4. arte
5. tener éxito
6. Ecuador

B 1. La ciudad más contaminada del país es Quito.
2. Hay montañas por todas partes que no permiten el paso del aire puro.
3. Nadie quiere proteger el medio ambiente porque nadie pone la basura en los basureros y muy pocos reciclan.
4. La situación será peor.

Vocabulario y gramática

C Answers will vary.

D Answers may vary.

E 1. recojamos
2. daña
3. reciclen
4. hay
5. respiremos

F 1. Los bomberos apagarán…
2. Nosotros protegeremos…
3. Tú vendrás a Quito…
4. Yo podré respirar…
5. Los políticos dirán…
6. Usted ayudará.
7. Nosotros haremos…
8. Todos tendremos…
9. Yo viviré…
10. Mi familia vendrá…

G 1. Sí, se la mandaré.
2. Sí, lo llamé y lo invité.
3. Sí, me lo contestó.
4. Sí, invítalas.
5. Sí, dáles el almuerzo/Dáselas.
6. Sí, se los traeré.
7. Sí, te la contaré.
8. Sí, se la di.
9. Sí, me lo pondré.
10. Sí, pónganselas.

Leer

H 1. las Islas Galápagos
2. se descubrirán muchas especies de animales y plantas
3. una mezcla única de animales marinos
4. especies
5. buceo

I 1. Las Galápagos quedar al oeste del país de Ecuador en el Océano Pacífico.
2. Para los buceadores, es un destino interesante y único.
3. Lo más interesante es la mezcla única de animales marinos y la falta de miedo de los animales.
4. Se pueden ver tortugas, manta rayas, pingüinos, leones marinos, delfines, tiburones y cientos de especies de peces tropicales.
5. Se descubrirán muchas especies de animales y plantas.

Cultura

J 1. muñecos de trapo
2. una ciudad dentro de dos manos grandes
3. animales
4. alpinista/andinista
5. las Islas Galápagos

K 1. Quito es la capital de Ecuador.
2. competencias contra otras escuelas
3. En las fiestas, en el idioma, en la comida.
4. Comidas típicas de Ecuador son llapingachos, fritada, locro.
5. Inti Raymi (La Fiesta del Sol)

Hablar

L Answers may vary.

Escribir

M Answers may vary.

Final Exam Answer Key

EXAMEN FINAL

Escuchar

A
1. a
2. d
3. a

B
1. a
2. c

Vocabulario y gramática

C
1. b
2. a
3. b
4. c

D
1. b
2. c
3. a
4. a

E
1. d
2. d
3. c
4. c
5. b
6. c

F
1. b
2. d
3. a
4. a
5. d
6. c

G
1. a
2. b
3. c
4. c

H
1. a
2. a
3. c
4. d
5. d

I
1. b
2. c
3. c
4. b

Leer

J
1. c
2. a
3. c

K
1. d
2. b
3. a

Cultura

L
1. d
2. a
3. a
4. b
5. b

M
1. b
2. a
3. b
4. c

Hablar

N Answers will vary.

Escribir

O Answers will vary.